A-Z WATFORD

Key to Maps

C000146301

(Map index showing areas: HEMEL HEMPSTEAD, Bovingdon, Kings Langley, Bricket Wood, Colney Street, South Mimms, SOUTH MIMMS, Hunton Bridge, Abbots Langley, Radlett, Shenley, Langleybury, Aldenham, Green Street, Dyrham Park, WATFORD, Chandler's Cross, Letchmore Heath, BOREHAMWOOD, Croxley Green, Patchetts Green, BUSHEY, CHORLEYWOOD, RICKMANSWORTH, Oxhey, Elstree, Arkley, LONDON GATEWAY, Heronsgate, Maple Cross, South Oxhey, Northwood, Stanmore, Edgeware, Chalfont St. Peter, LARGE SCALE 26 TOWN CENTRE)

Map squares numbered 2 through 25

0 1 2 Miles
0 1 2 3 Kilometres

Reference

Motorway M1	**Built-up Area** NEAL ST.
A Road A41	**Local Authority Boundary**
B Road B462	**Postcode Boundary**
Dual Carriageway	**Map Continuation** 12 **Large Scale Town Centre** 26
One-way Street Traffic flow on A Roads is indicated by a heavy line on the driver's left.	**Junction Name** BERRYGROVE
Large Scale Page Only	**Car Park** (Selected) (on Large Scale Page only) P
Restricted Access	**Church or Chapel** †
Pedestrianized Road	**Fire Station** ■
Track & Footpath	**Hospital** H
Residential Walkway	**House Numbers** (A & B Roads only) 86 3
Railway Level Crossing Station Tunnel	**Information Centre** i
Underground Station ⊖ is the registered trade mark of Transport for London	**National Grid Reference** 505

Police Station ▲	
Post Office ★	
Toilet (on Large Scale Page only)	
with Facilities for the Disabled	
Educational Establishment	
Hospital or Hospice	
Industrial Building	
Leisure or Recreational Facility	
Place of Interest	
Public Building	
Shopping Centre or Market	
Other Selected Buildings	

Scale

Map Pages 2-25
Scale 1:15,840
4 inches to 1 mile

0 ¼ ½ ¾ Mile
0 250 500 250 1 Kilometre

6.31 cm to 1 kilometre
10.61 cm to 1 mile

Geographers' A-Z Map Company Limited

Head Office:
Fairfield Road, Borough Green, Sevenoaks, Kent TN15 8PP
Tel: 01732 781000 (General Enquiries & Trade Sales)

Showrooms:
44 Gray's Inn Road, London WC1X 8HX
Tel: 020 7440 9500 (Retail Sales)
www.a-zmaps.co.uk

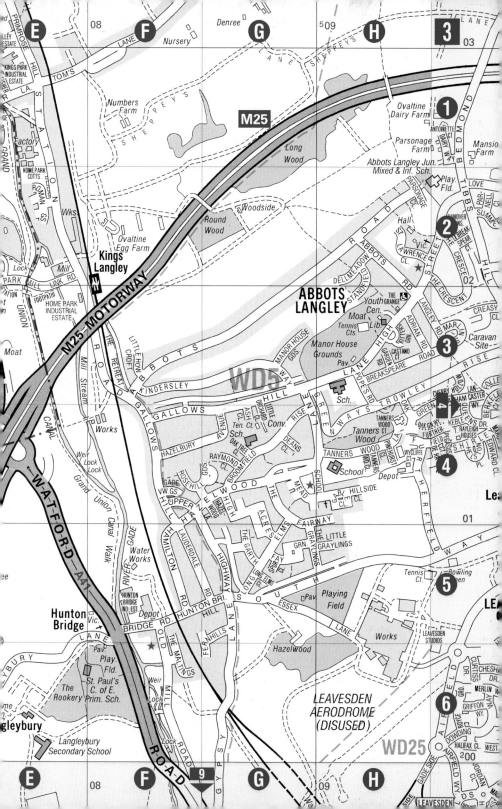

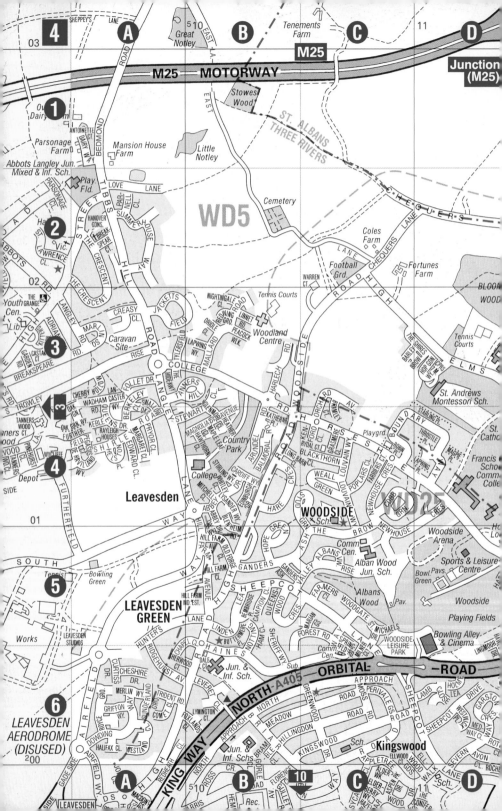

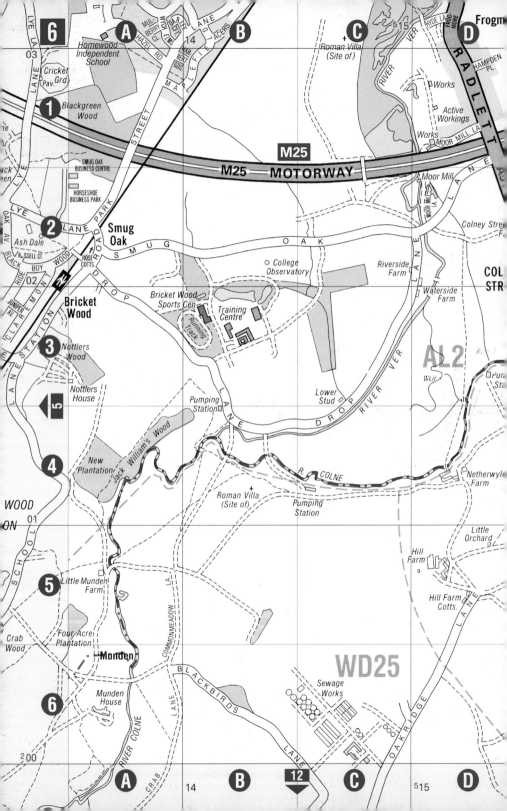

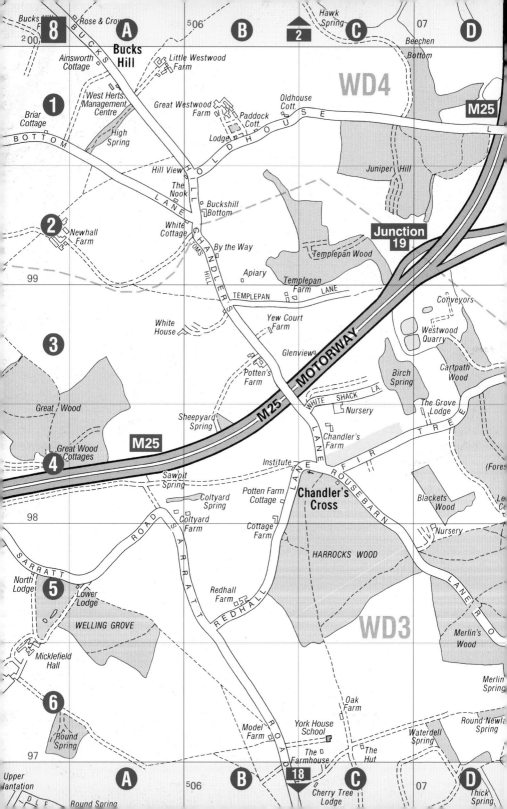

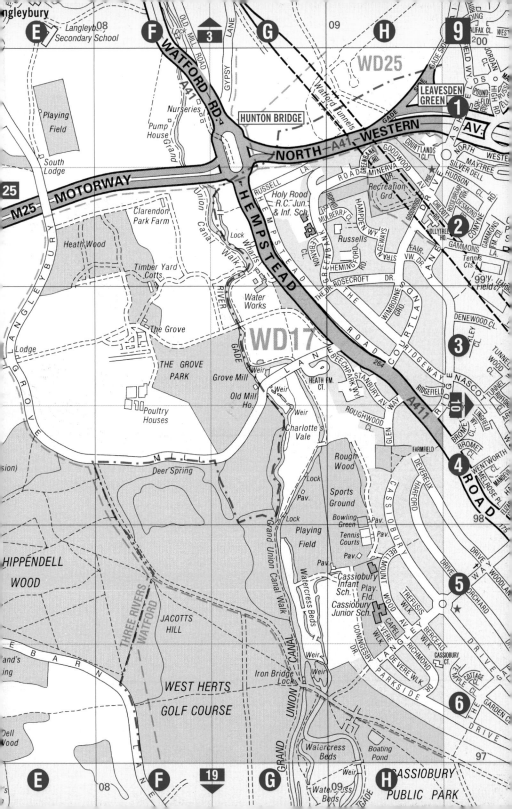

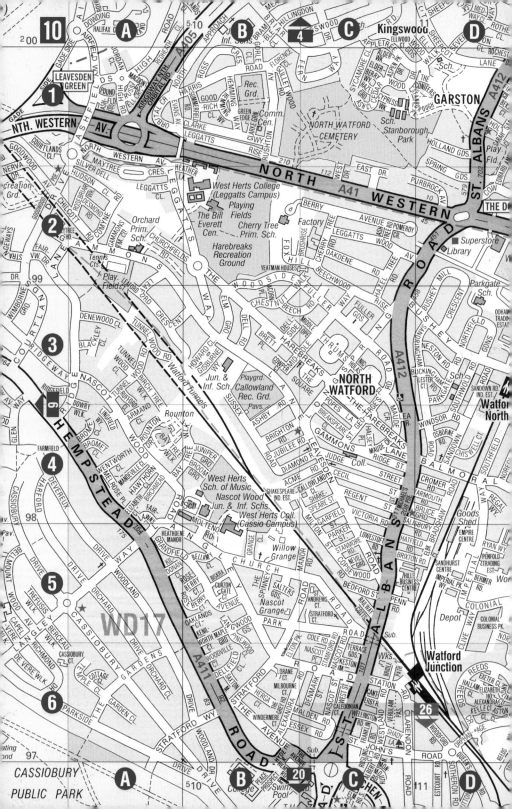

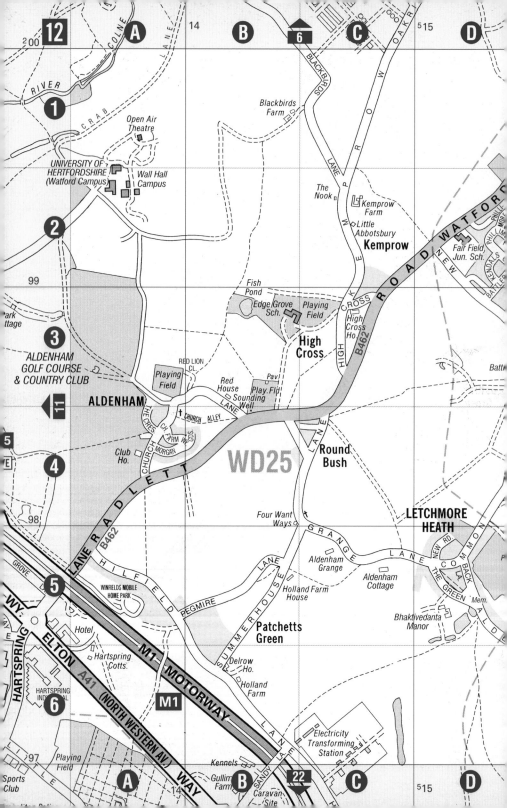

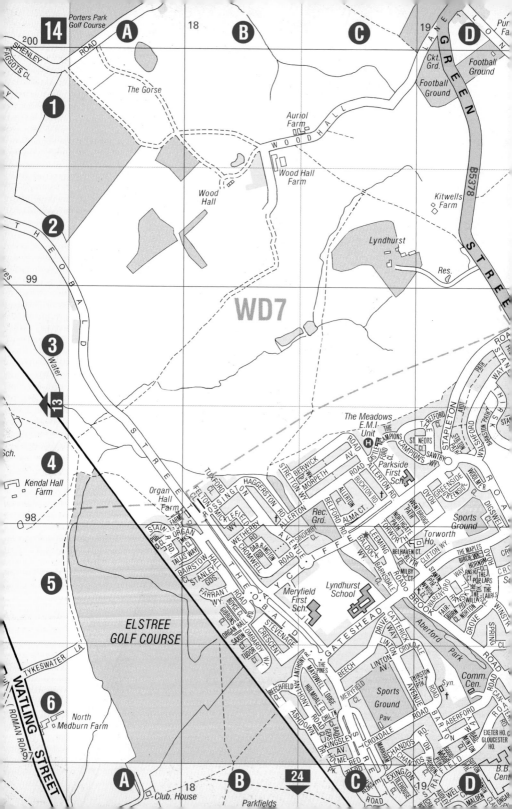

E 520 F G LANE 21 H SUMMERSWOOD 15 200

Littlepursley Wood

Crossoaks Farm

CROSSOAKS

EN6

Crossoaks Wood

1

Summerswood Farm

SILVER HILL

2

Birch Wood

Silver Hill Cottages

Holmshill House

LANE HOLMSHILL

LANE

99

ROAD

HIGH

WELL

High Canons

3

CANONS

Buckettsland Farm

PACKHORSE

Cowleyhill Farm

Wheatsheaf Farm

BUCKETTSLAND

END

LANE

Well End Farm

WD6

Well End

Electricity Sub. Station

LANE

ALEXANDRA

Strangeways Farm

4

98

Hawksmoor School

KENT CL.

ROAD

Rowley Farm

ROAD

ROWLEY

BESON

MILLAND

NOVELO WY.

Sports Cen.

DENHAM

OBERN WY.

WILCOX

CYGNET CL.

DENHAM WY.

GRACE CL.

PINEWOOD

SHEPPERTON

ROWLEY

A1 BY-PASS ROAD

5

Wrotham Park Open Space

BARNET

POTTERS

ZIGER WY.

GATE CL.

BRAY CL.

EALING

CL.

Meadow Park

CELIA JOHNSON CT.

GREGSON

HANCOCK CT.

COOPERS CK.

KENDAL CT.

RUTHER. WAY

BANKS RD.

MASON

CL.

Sports Ground

EN5

6

‖reham Wood F.C.

Pav. MEADOW RD.

Bowl Grn.

Hotel

Warehouse

Holmshill School

Depot

BOREHAMWOOD IND. PARK

Tennis Cts

Wrotham Park

BOREHAMWOOD Coll.

The Venue (Swim. Pool)

YORK

Tennis Courts

School

BAKER CT.

Nsry. Lib.

Civic Cen.

Subway

BILLHEAD RD.

MANOR WAY

A5135 WAY

ELSTREE W.

YORK CR.

LANE

Works

Shooting Ground

SHENLEY ROAD

HILL ROAD

ELSTREE

IMPERIAL PL.

MAXWELL

25

CHESTER

WARWICK PL.

Works

Golf Driving Range

Tennis

E 520 F G 21 H 97

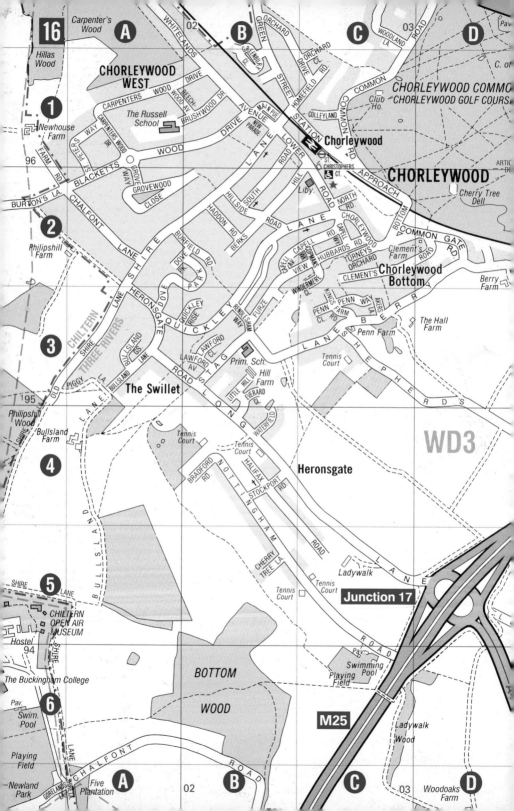

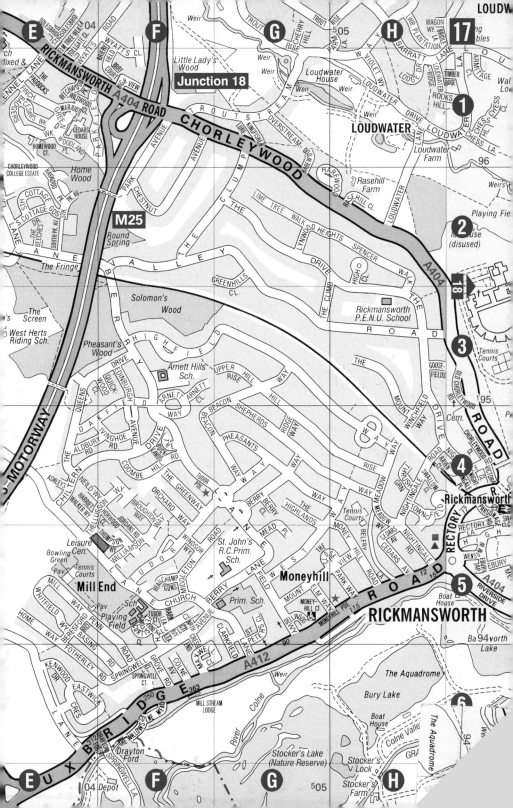

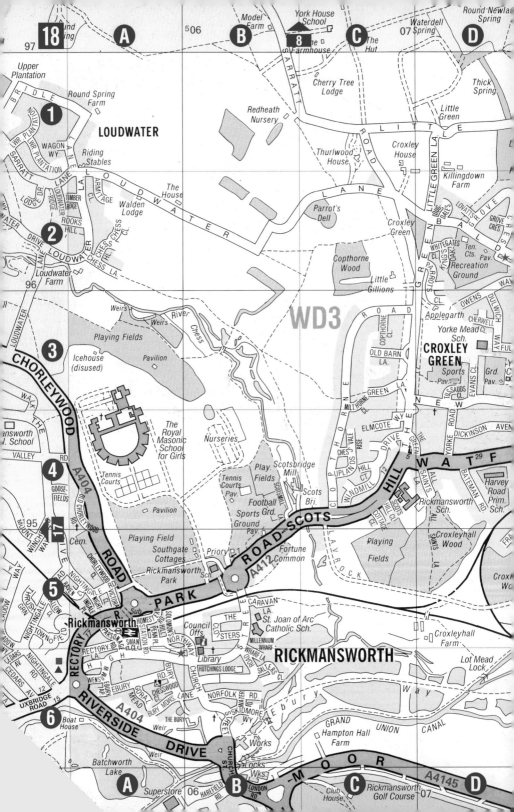

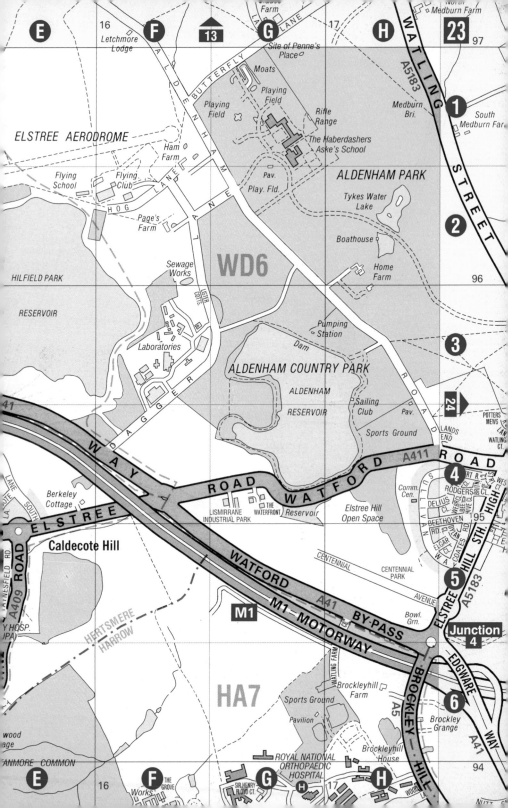

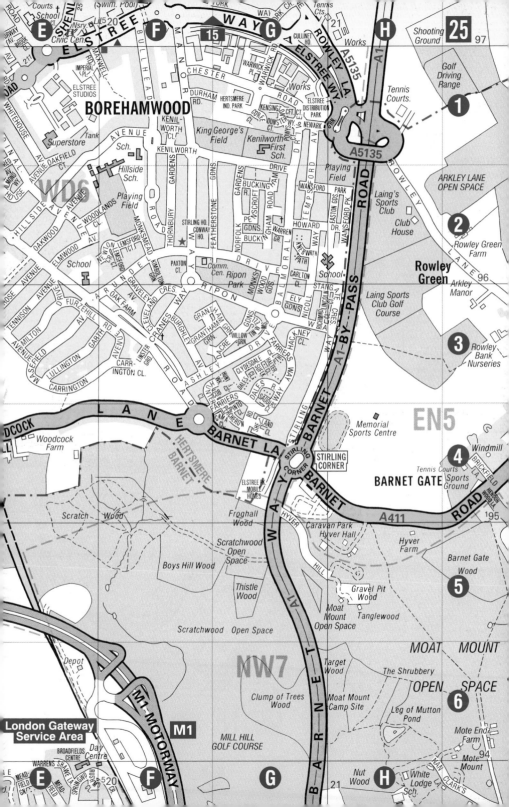

INDEX

Including Streets, Places & Areas, Industrial Estates, Selected Subsidiary Addresses,
Junction Names and Selected Places of Interest.

HOW TO USE THIS INDEX

1. Each street name is followed by its Posttown or Postal Locality and then by its map reference; e.g. Abbots Rd. *Ab L* —3F **3** is in the Abbots Langley Posttown and is to be found in square 3F on page **3**. The page number being shown in bold type.
   A strict alphabetical order is followed in which Av., Rd., St., etc. (though abbreviated) are read in full and as part of the street name; e.g. Ash Hill Clo. appears after Ashfields but before Ashley Dri.

2. Streets and a selection of Subsidiary names not shown on the Maps, appear in the index in *Italics* with the thoroughfare to which it is connected shown in brackets; e.g. Academy Ho. *Borwd* —2D **24** (off Station Rd.)

3. Places and areas are shown in the index in **bold type**, the map reference to the actual map square in which the Town or Area is located and not to the place name; e.g. **Abbots Langley. —2H 3**

4. An example of a selected place of interest is **Aldenham Country Pk.** —3G **23**

5. Map references shown in brackets; e.g. Alexandra Ct. *Wat* —6D **10** (1D **26**) refer to entries that also appear on the large scale page **26**.

GENERAL ABBREVIATIONS

All : Alley	Cir : Circus	Gt : Great	M : Mews	Sq : Square
App : Approach	Clo : Close	Grn : Green	Mt : Mount	Sta : Station
Arc : Arcade	Comn : Common	Gro : Grove	Mus : Museum	St : Street
Av : Avenue	Cotts : Cottages	Ho : House	N : North	Ter : Terrace
Bk : Back	Ct : Court	Ind : Industrial	Pal : Palace	Trad : Trading
Boulevd : Boulevard	Cres : Crescent	Info : Information	Pde : Parade	Up : Upper
Bri : Bridge	Cft : Croft	Junct : Junction	Pk : Park	Va : Vale
B'way : Broadway	Dri : Drive	La : Lane	Pas : Passage	Vw : View
Bldgs : Buildings	E : East	Lit : Little	Pl : Place	Vs : Villas
Bus : Business	Embkmt : Embankment	Lwr : Lower	Quad : Quadrant	Vis : Visitors
Cvn : Caravan	Est : Estate	Mc : Mac	Res : Residential	Wlk : Walk
Cen : Centre	Fld : Field	Mnr : Manor	Ri : Rise	W : West
Chu : Church	Gdns : Gardens	Mans : Mansions	Rd : Road	Yd : Yard
Chyd : Churchyard	Gth : Garth	Mkt : Market	Shop : Shopping	
Circ : Circle	Ga : Gate	Mdw : Meadow	S : South	

POSTTOWN AND POSTAL LOCALITY ABBREVIATIONS

A'nam : Aldenham	*Chal G* : Chalfont St Giles	*Frog* : Frogmore	*Loud* : Loudwater	*Shenl* : Shenley
Ab L : Abbots Langley	*Chan X* : Chandlers Cross	*Ger X* : Gerrards Cross	*Map C* : Maple Cross	*St Alb* : St Albans
Ark : Arkley	*Chen* : Chenies	*Hare* : Harefield	*Mil E* : Mill End	*Stan* : Stanmore
Barn : Barnet	*Chfd* : Chipperfield	*Harr* : Harrow	*N'wd* : Northwood	*W Hyd* : West Hyde
Bedm : Bedmond	*Chor* : Chorleywood	*Hem H* : Hemel Hempstead	*Naps* : Napsbury	*Wat* : Watford
Borwd : Borehamwood	*Col S* : Colney Street	*Herons* : Heronsgate	*Park* : Park Street	*Well E* : Well End
Brick : Brickendon	*Coul* : Coulsdon	*K Lan* : Kings Langley	*Rad* : Radlett	
Brick W : Bricket Wood	*Crox G* : Croxley Green	*Leav* : Leavesden	*Rick* : Rickmansworth	
Bus H : Bushey Heath	*Edgw* : Edgware	*Let H* : Letchmore Heath	*S Mim* : South Mimms	
Bush : Bushey	*Els* : Elstree	*Lon C* : London Colney	*Sarr* : Sarratt	

INDEX

Abbey Dri. *Ab L* —4B **4**
Abbey Vw. *Rad* —1E **13**
Abbey Vw. *Wat* —2E **11**
Abbots Langley. —2H 3
Abbots Pl. *Borwd* —3E **15**
Abbots Rd. *Ab L* —3F **3**
Aberford Rd. *Borwd* —6D **14**
Academy Ho. *Borwd* —2D **24**
 (off Station Rd.)
Acers. *Park* —1B **6**
Acme Rd. *Wat* —4B **10**
Acorn Pl. *Wat* —1C **10**
Addiscombe Rd. *Wat*
 —2C **20** (4A **26**)
Adrian Rd. *Ab L* —3H **3**
Airfield Way. *Leav* —6A **4**
Akers La. *Chor* —3C **16**
Alban Cres. *Borwd* —1F **23**
Alban Ho. *Borwd* —5E **15**
Albans Vw. *Wat* —5E **3**
Albany Clo. *Bush* —4C **22**
Albert Rd. N. *Wat* —1C **20** (2B **26**)
Albert Rd. S. *Wat* —1C **20** (2A **26**)
Aldbury Clo. *Wat* —2E **11**
Aldbury Rd. *Mil E* —4E **17**
Aldenham. —4A 12
Aldenham Av. *Rad* —2F **13**
Aldenham Country Pk. —3G **23**
Aldenham Gro. *Rad* —6G **7**
Aldenham Rd. *Els* —1F **23**
Aldenham Rd. *Let H & Els* —5D **12**
Aldenham Rd. *Rad* —1F **13**
Aldenham Rd. *Wat & Bush* —4E **21**
Alder Wlk. *Wat* —1C **10**
Alexandra Ct. *Wat* —6D **10** (1D **26**)
Alexandra Rd. *Borwd* —4G **15**
Alexandra Rd. *K Lan* —1D **2**
Alexandra Rd. *Wat*
 —6B **10** (1A **26**)
Allard Cres. *Bush* —6B **22**
Allerton Clo. *Borwd* —4C **14**
Allerton Rd. *Borwd* —4B **14**
All Saints Cres. *Wat* —5E **5**

All Saints La. *Crox G* —4D **18**
Allum La. *Els* —3B **24**
Alma Ct. *Borwd* —4C **14**
Almond Way. *Borwd* —2E **25**
Alva Way. *Wat* —6E **21**
Alwin Pl. *Wat* —2H **19**
Alwyn Clo. *Els* —4C **24**
Amberley Ter. *Wat* —4F **21**
 (off Villiers Rd.)
Amersham Ho. *Wat* —5H **19**
 (off Chenies Way)
Amwell Clo. *Wat* —1F **11**
Andrew Reed Ct. *Wat* —1D **26**
Anglian Clo. *Wat* —6D **10** (1D **26**)
Anthony Clo. *Wat* —6D **20**
Anthony Rd. *Borwd* —6C **14**
Antoinette Ct. *Ab L* —1A **4**
Appletree Wlk. *Wat* —6C **4**
Archer Clo. *K Lan* —1C **2**
Arden Clo. *Bus H* —6E **23**
Argyle Ct. *Wat* —2A **20**
Arkley La. *Barn* —4H **15**
 (in two parts)
Armand Clo. *Wat* —4A **10**
Armitage Clo. *Loud* —2A **18**
Arnett Clo. *Rick* —3F **17**
Arnett Way. *Rick* —3F **17**
Arranmore Ct. *Bush* —2F **21**
Arthur St. *Bush* —1E **21**
Arundel Dri. *Borwd* —2F **25**
Arundel Ho. *Borwd* —2F **25**
 (off Arundel Dri.)
Arundel Rd. *Ab L* —4B **4**
Ascot Clo. *Els* —3D **24**
Ascot Rd. *Wat* —3H **19**
 (in two parts)
Ashby Rd. *Wat* —4B **10**
Ash Clo. *Els* —3D **24**
Ash Clo. *Wat* —1C **10**
Ash Copse. *Brick W* —3G **5**
Ashdon Rd. *Bush* —1E **21**
Ashdown Dri. *Borwd* —6C **14**
Ashfield Av. *Bush* —4A **22**

Ashfields. *Wat* —1A **10**
Ash Hill Clo. *Bush* —6A **22**
Ashley Dri. *Borwd* —3F **25**
Ashleys. *Rick* —4E **17**
Ashlyn Clo. *Bush* —2F **21**
Ashlyn Ct. *Wat* —2F **21**
Ashridge Dri. *Brick W* —2F **5**
Ashridge Ho. *Wat* —5H **19**
 (off Chenies Way)
Ash Tree Rd. *Wat* —1C **10**
Aspen Clo. *Brick W* —2F **5**
Aspen Pk. Dri. *Wat* —1C **10**
Aston Clo. *Bush* —4B **22**
Aston Clo. *Wat* —6D **10** (1D **26**)
Astra Ct. *Wat* —3A **20**
Athlone Clo. *Rad* —2F **13**
Audley Clo. *Borwd* —1D **24**
Avalon Clo. *Wat* —4F **5**
Avenue App. *K Lan* —2D **2**
Avenue Ri. *Bush* —3H **21**
Avenue Ter. *Wat* —4F **21**
Avenue, The. *Bush* —3G **21**
Avenue, The. *Park* —5F **7**
Avenue, The. *Wat* —6B **10** (1A **26**)
Avon Clo. *Wat* —6D **4**
Awberry Ct. *Wat* —4G **19**
Aycliffe Rd. *Borwd* —5B **14**
Aynho St. *Wat* —3C **20** (6A **26**)
Ayot Path. *Borwd* —3D **14**

Back La. *Let H* —5D **12**
Badgers Clo. *Borwd* —6C **14**
Badgers Wlk. *Chor* —1E **17**
Badminton Clo. *Borwd* —6D **14**
Badminton Ho. *Wat* —1D **26**
Baird Clo. *Bush* —4A **22**
Bairstow Clo. *Borwd* —5B **14**
Baker Ct. *Borwd* —6E **15**
Balcon Way. *Borwd* —5F **15**
Baldock Way. *Borwd* —5C **14**
Baldwin's La. *Crox G* —2D **18**
Ballinger Ct. *Wat* —1C **20** (3A **26**)

Balmoral Dri. *Borwd* —3G **25**
Balmoral Rd. *Ab L* —4B **4**
Balmoral Rd. *Wat* —4D **10**
Banbury St. *Wat* —3B **20** (6A **26**)
Banks Rd. *Borwd* —6F **15**
Barclay Clo. *Wat* —4B **20**
Barham Av. *Els* —1C **24**
Barkston Path. *Borwd* —4D **14**
Barley Brow. *Wat* —3C **4**
Barley Clo. *Bush* —3A **22**
Barn Clo. *Rad* —1F **13**
Barnet By-Pass Rd. *Borwd & Barn*
 —4G **25**
Barnet Gate. —4H 25
Barnet La. *Els & Borwd* —4A **24**
Barnet Rd. *Ark & Barn* —4G **25**
Barnet Way. *NW7* —6G **25**
Barn Lea. *Mil E* —5F **17**
Barnsdale Clo. *Borwd* —5C **14**
Barnsway. *K Lan* —1B **2**
Barry Ct. *Wat* —6C **26**
Bartons, The. *Els* —4A **24**
Barton Way. *Borwd* —6D **14**
Barton Way. *Crox G* —3E **19**
Basildon Clo. *Wat* —4F **19**
Basing Rd. *Mil E* —5E **17**
Bateman Rd. *Crox G* —4D **18**
Bay Tree Wlk. *Wat* —4A **10**
Beaconsfield Ct. Leav —4C **4**
 (off Horsehoe La.)
Beacon Way. *Rick* —4F **17**
Beagle Clo. *Rad* —3A **13**
Beamish Dri. *Bus H* —6B **22**
Beauchamp Gdns. *Mil E* —5F **17**
Beaulieu Clo. *Wat* —6D **20**
Beaumont Ga. *Rad* —1F **13**
 (off Shenley Hill)
Bedford St. *Wat* —5C **10**
Bedmond Rd. *Ab L* —1A **4**
Beech Av. *Rad* —5F **7**
Beechcroft Av. *Crox G* —4F **19**

Beechcroft Rd. *Bush* —3F **21**
Beech Dri. *Borwd* —6C **14**
Beechen Gro. *Wat* —1C **20** (2A **26**)
Beeches, The. *Chor* —2E **17**
Beeches, The. *Wat* —3A **26**
Beechfield. *K Lan* —2C **2**
Beechfield Clo. *Borwd* —6B **14**
Beechpark Way. *Wat* —3H **9**
Beech Rd. *Wat* —3B **10**
Beechwood Av. *Chor* —1B **16**
Beechwood Ri. *Wat* —2C **10**
Beehive Clo. *Els* —4A **24**
Beethoven Rd. *Els* —4A **24**
Beggars Bush La. *Wat* —3G **19**
Beken Ct. *Wat* —1D **10**
Belford Rd. *Borwd* —6C **14**
Belfry La. *Rick* —5H **17**
Belgrave Av. *Wat* —3A **20**
Belgrave Clo. *Wat* —3A **20**
Belhaven Ct. *Borwd* —5C **14**
Bellamy Clo. *Wat* —5B **10**
Bellevue La. *Bus H* —6C **22**
Bellmount Wood Av. *Wat* —5H **9**
Belmont Rd. *Bush* —3F **21**
Belmor. *Els* —4D **24**
Bembridge Pl. *Wat* —5B **4**
Bendysh Rd. *Bush* —1F **21**
Benneck Ho. *Wat* —4H **19**
Benskin Rd. *Wat* —3B **20**
Berceau Wlk. *Wat* —5H **9**
Beresford Rd. *Mil E* —5E **17**
Berkeley Clo. *Ab L* —4A **4**
Berkeley Clo. *Els* —3D **24**
Berkeley Ct. *Crox G* —3G **19**
Berks Hill. *Chor* —2B **16**
Bermer Rd. *Wat* —5D **10**
Berry Av. *Wat* —2C **10**
Berry Clo. *Wat* —4G **17**
Berrygrove. (Junct.) —4G **11**
Berry Gro. La. *Wat* —4F **11**
 (in two parts)
Berry La. *Chor & Rick* —3C **16**
Berry Way. *Rick* —4G **17**
Berwick Rd. *Borwd* —4C **14**

A-Z Watford 27

Besant Ho.—Dorchester Ct.

Besant Ho. Wat —6E 11
Bevan Ho. Wat —6E 11
Biddenham Turn. Wat —1D 10
Birch Copse. Brick W —2F 5
Birches, The. Bush —3B 22
Birchmead. Wat —4A 10
Birch Tree Wlk. Wat —3A 10
Birchville Ct. Bus H —6D 22
Birch Wlk. Borwd —5D 14
Bishops Av. Els —3C 24
Biskra. Wat —5B 10
Blackbirds La. A'ham —6B 6
Black Boy Wood. Brick W —2H 5
Blacketts Wood Dri. Chor —2A 16
Blackley Clo. Wat —3A 10
Blackmoor La. Wat —3G 19
Blackthorn Clo. Wat —4C 4
Blackwell Dri. Wat —4D 20
Blackwell Rd. K Lan —1D 2
Blattner Clo. Els —2B 24
Blenheim Clo. Wat —5D 20
Blenheim Rd. Ab L —4B 4
Bluebird Way. Brick W —2G 5
Blyth Clo. Borwd —5C 14
Boreham Holt. Els —2C 24
Borehamwood. —1D 24
Borehamwood Enterprise Cen. Borwd —1C 24
Borehamwood F.C. —6E 15
Borehamwood Ind. Pk. Borwd —6G 15
Bottom La. K Lan —1A 8
Boulevard Cen., The. Borwd —1D 24
Boulevard, The. Wat —3G 19
Boulevard 25. Borwd —1D 24
Boundary Way. Wat —4C 4
Bournehall. Bush —4H 21
Bournehall Av. Bush —3H 21
Bournehall La. Bush —4H 21
Bournehall Rd. Bush —4H 21
Bourne Rd. Bush —3H 21
Bovingdon Cres. Wat —6E 5
Bowling Ct. Wat —2B 20
Bowmans Grn. Wat —2F 11
Boyce Clo. Borwd —5B 14
Bracken Clo. Borwd —5E 15
Brackendene. Brick W —2G 5
Bradbury Clo. Borwd —5E 15
Bradford Rd. Herons —4B 16
Bradshaw Rd. Wat —5D 10
Bramble Clo. Wat —6B 4
Brambling Clo. Bush —2F 21
Bramfield. Wat —6F 5
Bramleas. Wat —3A 20
Bramley Ct. Wat —4C 4
Brampton Ter. Borwd —4D 14 (off Stapleton Rd.)
Brandt Ct. Borwd —6G 15 (off Elstree Way)
Bray Clo. Borwd —5F 15
Breakspear Ct. Ab L —2A 4
Breakspeare Clo. Wat —4C 10
Breakspeare Rd. Ab L —3H 3
Brendon Ct. Rad —6G 7
Brett Pl. Wat —3B 10
Briar Rd. Wat —6B 4
Briars, The. Bush —5D 22
Bricket Wood. —2G 5
Brickfield La. Ark —4H 25
Brickfields Cotts. Borwd —1C 24
Brick Kiln Clo. Wat —4F 21
Bridge Ct. Rad —1G 13
Bridgeford Ho. Wat —1C 20 (3A 26)
Bridge Pl. Wat —3E 21
Bridger Clo. Wat —5E 5
Bridge Rd. K Lan —5F 3
Bridge, The. K Lan —1E 3
Bridgewater Way. Bush —4A 22
Bridle La. Loud —1A 18
Bridle Path. Wat —6C 10
Briery Ct. Chor —1F 17
Briery Fld. Chor —1F 17
Brighton Rd. Wat —4B 10
Brightview Clo. Brick W —1F 5
Brightwell Rd. Wat —3B 20 (6A 26)
Bristol Ho. Borwd —6D 14 (off Eldon Av.)
Britten Clo. Els —4A 24
Brixton Rd. Wat —5C 10
Broad Acre. Brick W —2F 5
Broad Colney. —1H 7
Broadfields Cen. Edgw —6E 25
Broadfields La. Wat —6C 20
Broadway, The. Wat —1D 20 (3D 26)
Brocklesbury Clo. Wat —6E 11 (2D 26)
Brockley Hill. Stan —6H 23
Brodewater Rd. Borwd —6E 15
Bromet Clo. Wat —4A 10 (in two parts)
Brook Clo. Borwd —6E 15
Brook Ct. Rad —5F 7
Brookdene Av. Wat —5C 20
Brook Dri. Rad —5E 7
Brooke Clo. Bush —5B 22
Brooke Way. Bush —5B 22
Brookmill Clo. Wat —5C 20
Brook Rd. Borwd —5D 14
Brookside. Wat —3E 11
Brookside Caravans. Wat —5C 20
Brookside Rd. Wat —5C 20
Broomfield Ri. Ab L —4G 3
Broom Gro. Wat —4B 10
Broughinge Rd. Borwd —6E 15
Broughton Way. Rick —4F 17
Brownlow Rd. Borwd —2D 24
Brow, The. Wat —5C 4
Bruce Gro. Wat —4D 10
Brushrise. Wat —2C 10
Brushwood Dri. Chor —1B 16
Buchanan Clo. Borwd —6F 15
Buckettsland La. Borwd —4G 15
Buckingham Gro. Borwd —2G 25
Buckingham Rd. Borwd —2G 25
Buckingham Rd. Wat —3D 10
Bucklands, The. Rick —4F 17
Bucknalls Clo. Wat —4F 5
Bucknalls Dri. Brick W —3G 5
Bucknalls La. Wat —4E 5
Buck's Av. Wat —5F 21
Bucks Hill. —1A 8
Bucks Hill. K Lan —6A 2
Buckton Rd. Borwd —4C 14
Bullhead Rd. Borwd —1F 25
Bullsland Gdns. Chor —3A 16
Bullsland La. Chor —5A 16 (in two parts)
Burchell Ct. Bush —5B 22
Burfield Rd. Chor —2B 16
Burgess Ct. Borwd —4C 14
Burghley Av. Borwd —3F 25
Burn Clo. Bush —1C 22
Burton Av. Wat —2B 20
Burton's La. Chal G & Chor —2A 16
Burvale Ct. Wat —1C 20 (3A 26)
Bury La. Rick —6A 18
Bury Meadows. Rick —6A 18
Bury, The. Rick —6A 18
Bushell Grn. Bus H —6C 22
Bushey. —5A 22
Bushey Gro. Rd. Bush —2E 21
Bushey Hall Dri. Bush —2F 21
Bushey Hall Mobile Home Pk. Bush —1F 21
Bushey Hall Rd. Bush —2E 21
Bushey Heath. —6C 22
Bushey Mill Cres. Wat —3D 10
Bushey Mill La. Wat —3D 10
Bushey Vw. Wlk. Wat —6E 11
Butterfly La. Els —1F 23
Buttermere Pl. Wat —5B 4
Butterwick. Wat —2F 11
Byewaters. Wat —4F 19
Byfleet Ind. Est. Crox G —6F 19
Byron Av. Borwd —3D 24
Byron Av. Wat —5E 11
By the Wood. Wat —6E 21

Caishowe Rd. Borwd —5E 15
Caldecote Gdns. Bush —5D 22
Caldecote Hill. —5D 22
Caldecote La. Bush —4E 23
Caldecote Towers. Bush —5D 22
Caledonian Ct. Wat —6C 10 (1A 26)
California La. Bus H & Bush —6C 22
California Pl. Bush —6C 22 (off High Rd.)
Callanders, The. Bush —6D 22
Callowland Clo. Wat —4C 10
Cambridge Rd. Wat —2D 20 (5C 26)
Campion Clo. Wat —5B 4
Campions Clo. Borwd —3D 14
Campions, The. Borwd —4C 14
Cannon Rd. Wat —3D 20
Canons Clo. Rad —1G 13
Canterbury Ho. Borwd —6D 14 (off Stratfield Rd.)
Canterbury Ho. Wat —6D 10 (off Anglian Clo.)
Canterbury Rd. Borwd —6D 14
Canterbury Rd. Wat —6C 10 (1B 26)
Canterbury Way. Crox G —1F 19
Capell Av. Chor —2B 16
Capell Rd. Chor —2C 16
Capell Way. Chor —2C 16
Capel Rd. Wat —4F 21
Capelvere Wlk. Wat —5H 9
Capital Bus. Cen. Wat —2E 11
Caractacus Cottage Vw. Wat —5B 20
Caractacus Grn. Wat —4A 20
Caravan La. Rick —5B 18
Cardiff Rd. Wat —4C 20 (6C 26) (in two parts)
Cardiff Rd. Ind. Est. Wat —4C 20
Cardiff Way. Ab L —4B 4
Cardinal Av. Borwd —1E 25
Carey Pl. Wat —2D 20 (4C 26)
Carisbrooke Av. Wat —5E 11
Carlisle Ho. Borwd —6D 14
Carlton Clo. Borwd —2G 25
Carlton Ct. Wat —4E 21
Carmen Ct. Borwd —5C 14 (off Aycliffe Rd.)
Caroline Pl. Wat —4F 21
Carpenters Wood Dri. Chor —1A 16
Carrington Av. Borwd —3E 25
Carrington Clo. Borwd —3F 25
Cart Path. Wat —5D 4
Cary Wlk. Rad —6G 7
Cassiobridge Rd. Wat —2H 19
Cassiobury Ct. Wat —6H 9
Cassiobury Dri. Wat —4H 9
Cassiobury Pk. Av. Wat —1H 19
Cassio Rd. Wat —1C 20 (3A 26)
Castano Ct. Ab L —3H 3
Castle Clo. Bush —4A 22
Castleford Clo. Borwd —4C 14
Catsey La. Bush —5B 22
Catsey Wood. Bush —5B 22
Catterick Way. Borwd —5C 14
Cavendish Cres. Els —2D 24
Caxton Way. Wat —5G 19
Cecil St. Wat —4C 10
Cedar Rd. Wat —4D 20
Cedars Av. Rick —5H 17
Cedars Clo. Borwd —2E 25
Cedars, The. Chor —1E 17
Cedars Wlk. Chor —1E 17
Cedar Wood Dri. Wat —1C 10
Celia Johnson Ct. Borwd —5F 15
Centennial Av. Borwd & Els —5H 23
Centennial Pk. Els —5H 23
Century Ct. Wat —5F 19
Century Pk. Ind. Est. Wat —6D 26
Century Pk. W. Wat —3D 20
Chaffinch La. Wat —5A 20
Chalfont Ho. Wat —4H 19
Chalfont La. Chor & W Hyd —2A 16
Chalfont Rd. Map C & Rick —6A 16
Chalk Hill. Wat —4E 21
Champneys. Wat —6F 21
Chandler's Cross. —4C 8
Chandler's La. Chan X —2B 8
Chandos Rd. Borwd —6C 14
Chantry Clo. K Lan —1D 2
Chapel Clo. Wat —6A 4
Chapmans Yd. Wat —2E 21 (5D 26)
Charlock Way. Wat —4A 20
Charter Pl. Wat —1D 20 (3C 26)
Chartridge Clo. Bush —4B 22
Chase, The. Rad —1E 13
Chase, The. Wat —2H 19
Chatsworth Clo. Borwd —1D 24
Chauncey Ho. Wat —4H 19
Cheltenham Ho. Wat —6D 10 (off Exeter Clo.)
Chenies Way. Wat —5H 19
Chequers La. Wat —2C 4
Cherrydale. Wat —2A 20
Cherry Hill. Loud —1G 17
Cherry Hollow. Ab L —3A 4
Cherry Tree La. Herons —5B 16
Cherry Tree Rd. Wat —2C 10
Cherwell Clo. Crox G —3D 18
Chesham Way. Wat —4H 19
Cheshire Dri. Leav —6A 4
Chess Clo. Loud —2A 18
Chess Hill. Loud —2A 18
Chess La. Loud —2A 18
Chess Va. Ri. Crox G —4C 18
Chesswood Ct. Rick —6A 18
Chester Rd. Borwd —1F 25
Chester Rd. Wat —3B 20 (5A 26)
Chestnut Av. Rick —2F 17
Chestnut Ri. Bush —5A 22
Chestnut Wlk. Wat —3B 10
Cheviot Clo. Bush —4B 22
Cheyne Ct. Bush —2F 21
Chichester Way. Wat —5F 5
Chidbrook Ho. Wat —4H 19
Chilcott Rd. Wat —2H 9
Chiltern Av. Bush —4B 22
Chiltern Clo. Borwd —6C 14
Chiltern Clo. Bush —4A 22
Chiltern Dri. Mil E —4E 17
Chipperfield Rd. K Lan —2A 2
Chirdland Ho. Wat —4H 19
Chiswell Ct. Wat —4D 10
Chorleywood. —2C 16
Chorleywood Bottom. —2C 16
Chorleywood Bottom. Chor & Rick —2C 16
Chorleywood Clo. Rick —5A 18
Chorleywood College Est. Chor —2E 17
Chorleywood Rd. Rick —1F 17
Chorleywood West. —1A 16
Christchurch Cres. Rad —2F 13
Church All. A'ham —4B 12
Church Clo. Rad —2F 13
Church Farm Way. A'ham —4A 12
Churchfields Rd. Wat —2A 10
Church La. A'ham —4A 12
Church La. K Lan —1D 2
Church La. Mil E —5F 17
Church Rd. Wat —5B 10
Church St. Rick —6B 18
Church St. Wat —2D 20 (4C 26)
Church Wlk. Bush —4H 21
Claire Ct. Bush —6C 22
Clapgate Rd. Bush —4A 22
Clare Clo. Els —4C 24
Claremont. Brick W —3H 5
Claremont Cres. Crox G —3F 19
Claremont Ho. Wat —4G 19
Clarence Clo. Bus H —5E 23
Clarendon M. Borwd —1D 24
Clarendon Rd. Borwd —1D 24
Clarendon Rd. Wat —6C 10 (1B 26)
Clarke Grn. Wat —1B 10
Clarke Way. Wat —1B 10
Clarkfield. Mil E —5G 17
Clarks Mead. Bush —5B 22
Claybury. Bush —5A 22
Clay La. Bus H —5D 22
Clay La. Edgw —6D 24
Clement's Rd. Chor —2C 16
Cleveland Cres. Borwd —3F 25
Clifton Rd. Wat —3C 20 (6B 26)
Clifton Way. Borwd —5D 14
Climb, The. Rick —3G 17
Clive Way. Wat —5D 10
Cloisters, The. Bush —4A 22
Cloisters, The. Rick —5B 18
Cloisters, The. Wat —2D 20 (5C 26)
Close, The. Bush —4A 22
Close, The. Rad —5E 7
Close, The. Rick —5G 17
Clover Fld., The. Bush —4G 21
Clump, The. Rick —2F 17
Clydesdale Clo. Borwd —3G 25
Clydesdale Path. Borwd —3G 25 (off Clydesdale Clo.)
Clyston Rd. Wat —4A 20
Coates Dell. Wat —5F 5
Coates Rd. Els —5A 24
Coates Way. Wat —5E 5
Cobb Grn. Wat —4C 4
Cob Clo. Borwd —3G 25
Cobden Hill. Rad —2G 13
Codicote Dri. Wat —6E 5
Colborne Ho. Wat —4H 19
Coldharbour Ho. Wat —2F 11
Coldharbour La. Bush —4A 22
Cole Rd. Wat —5C 10
Coles Grn. Bus H —6B 22
College Rd. Ab L —3A 4
Colleyland. Chor —1C 16
Colne Av. Mil E —6F 17
Colne Av. Wat —4C 20
Colne Bri. Retail Pk. Wat —4E 21
Colne Mead. Mil E —6F 17
Colne Way. Wat —2E 11
Colne Way Ct. Ind. Est. Wat —3E 11
Colney Street. —2E 7
Colonial Bus. Pk. Wat —5D 10
Colonial Way. Wat —5D 10
Combe Ho. Wat —4H 19
Combe Rd. Wat —4A 20
Comet Clo. Wat —6A 4
Common Ga. Rd. Chor —2C 16
Common La. K Lan —1C 2
Common La. Let H & Rad —5D 12
Commonmeadow La. Wat —6A 6
Common Rd. Chor —1C 16
Common, The. K Lan —1D 2
Community Way. Crox G —3D 18
Comyne Rd. Wat —2A 10
Comyns, The. Bush —6B 22
Conifers, The. Wat —1D 10
Coningesby Dri. Wat —5H 9
Connemara Clo. Borwd —4G 25
Conningsby Ct. Rad —2E 13
Conway Ho. Borwd —2F 25
Cooks Mead. Bush —4A 22
Coombe Hill Rd. Mil E —4F 17
Coombe Rd. Bush —5C 22
Coopers Cres. Borwd —5F 15
Copmans Wick. Chor —2C 16
Coppice, The. Wat —4D 20
Copse, The. Wat —4F 5
Copsewood Rd. Wat —5C 10
Copthorne Clo. Crox G —3C 18
Copthorne Rd. Crox G —4C 18
Corfe Clo. Borwd —1G 25
Cornfield Rd. Bush —2A 22
Cotswold Av. Bush —4B 22
Cottage Clo. Crox G —4C 18
Cottage Clo. Wat —6A 10
Courtlands Clo. Wat —1H 9
Courtlands Dri. Wat —3H 9
Courtway, The. Wat —6F 21
Courtyards, The. Wat —5G 19
Cow La. Bush —4H 21
Cow La. Wat —2D 10
Cowley Hill. Borwd —3D 14
Cowper Ct. Wat —3B 10
Crab La. A'ham —1A 12
Crabtree Clo. Bush —3A 22
Cragg Av. Rad —2E 13
Craig Mt. Rad —1G 13
Craigwell Av. Rad —1G 13
Crakers Mead. Wat —1C 20 (3A 26)
Cranefield Dri. Wat —4F 5
Cranes Way. Borwd —3F 25
Cranmer Ho. K Lan —1D 2
Creasy Clo. Ab L —3A 4
Crescent, The. Ab L —2A 4
Crescent, The. A'ham —4A 12
Crescent, The. Brick W —2H 5
Crescent, The. Crox G —4E 19
Crescent, The. Wat —2D 20 (5C 26)
Cress End. Rick —5F 17
Croft Ct. Borwd —1G 25
Cromer Rd. Wat —4D 10
Cromwell Rd. Borwd —5B 14
Crosfield Ct. Wat —3D 20
Crossmead. Wat —4C 20
Crossoaks La. Borwd & S Mim —1G 15
Crosspath. Rad —1F 13
Cross Rd. Wat —4F 21
Cross St. Wat —1D 20 (2C 26)
Crown Pas. Wat —2D 20 (5D 26)
Crown Ri. Wat —6D 4
Crown Rd. Borwd —5D 14
Croxdale Rd. Borwd —6C 14
Croxley Centre. —4G 19
Croxley Green. —2D 18
Croxley Vw. Wat —4H 19
Crusader Way. Wat —4A 20
Cuffley Av. Wat —6E 5
Cullinet Ho. Borwd —6G 15
Curtis Clo. Mil E —5F 17
Curtiss Dri. Leav —6A 4
Curzon Ga. Ct. Wat —5B 10
Cussans Ho. Wat —4H 19
Cygnet Clo. Borwd —5F 15
Cypress Wlk. Wat —1C 10

Dacre Gdns. Borwd —3G 25
Dagger La. Els —4F 23
Dairy M. Wat —3B 20
Dairy Way. Ab L —1A 4
Dale Ct. Wat —6B 4
Dales Path. Borwd —3G 25
Dales Rd. Borwd —3G 25
Danziger Way. Borwd —5F 15
Darley Cft. Park —1A 6
Darnhills. Rad —1E 13
Darrington Rd. Borwd —5B 14
Deacons Clo. Els —2D 24
Deacons Heights. Els —4D 24
Deacons Hill. Borwd —4C 24
Deacons Hill. Wat —4D 20
Deacon's Hill Rd. Els —2C 24
Deakin Clo. Wat —5H 19
Dean Ct. Wat —5E 5
Deans Clo. Ab L —4G 3
De Havilland Way. Ab L —4A 4
Delamere Rd. Borwd —5E 15
Delius Clo. Els —4H 23
Dellfield Clo. Rad —1E 13
Dellfield Clo. Wat —6B 10
Dellmeadow. Ab L —2H 3
Dell Rd. Wat —3B 10
Dellside. Wat —3B 10
Dell, The. Rad —2F 13
Dellwood Clo. Rick —5G 17
Delmer Ct. Borwd —4C 14 (off Aycliffe Rd.)
Denewood Clo. Wat —3A 10
Denham Way. Borwd —5F 15
Denmark St. Wat —6C 10 (1A 26)
Derby Rd. Wat —1D 20 (4C 26) (in two parts)
Desmond Rd. Wat —2A 10
Devereux Dri. Wat —4H 9
De Vere Wlk. Wat —6H 9
Devon Rd. Wat —5E 11
Diamond Rd. Wat —4B 10
Dickinson Av. Crox G —4D 18
Dickinson Sq. Crox G —4D 18
Digswell Clo. Borwd —4D 14
Dog Kennel La. Chor —1E 17
Dome, The. (Junct.) —2D 10
Dorchester Ct. Wat —4F 21 (off Chalk Hill)

Dorrofield Clo.—Holme Lea

Dorrofield Clo. *Crox G* —3F **19**
Douglas Av. *Wat* —3E **11**
Dove Pk. *Chor* —3A **16**
Dover Way. *Crox G* —2F **19**
Dowding Way. *Leav* —6A **4**
Downalong. *Bus H* —6C **22**
Dowry Wlk. *Wat* —4A **10**
Drayton Ford. *Rick* —6F **17**
Drayton Rd. *Borwd* —2D **24**
Drive, The. *Rad* —6F **7**
Drive, The. *Rick* —2G **17**
Drive, The. *Wat* —3G **9**
Drop La. *Brick W* —2A **6**
Dugdales. *Crox G* —2D **18**
Duke St. *Wat* —1D **20** (3C **26**)
Dulwich Way. *Crox G* —3D **18**
Duncan Way. *Bush* —6G **11**
Dunnock Clo. *Borwd* —2D **24**
Dunsmore Clo. *Bush* —4C **22**
Dunsmore Way. *Bush* —4C **22**
Dunster Ct. *Borwd* —1G **25**
Durban Rd. E. *Wat* —2B **20** (4A **26**)
Durban Rd. W. *Wat* —2B **20**
Durham Ho. Borwd —6D 14 (off Canterbury Rd.)
Durham Rd. *Borwd* —1F **25**
Durrants Dri. *Crox G* —1F **19**
Dwight Rd. *Wat* —5G **19**
Dylan Clo. *Els* —5A **24**
Dyson Ct. *Wat* —3D **20** (5D **26**)

E
Ealing Clo. *Borwd* —5G **15**
Earl St. *Wat* —1D **20** (3C **26**)
Eastbury Ct. *Wat* —5D **20**
Eastbury Rd. *Wat* —5C **20**
East Dri. *N'wd* —6H **19**
East Dri. *Wat* —2C **10**
Eastfield Av. *Wat* —5E **11**
East La. *Ab L & Bedm* —1B **4** (in two parts)
Eastlea Av. *Wat* —3F **11**
Easton Gdns. *Borwd* —2H **25**
Eastwick Cres. *Mil E* —6E **17**
Ebury App. *Rick* —6A **18**
Ebury Rd. *Rick* —6A **18**
Ebury Rd. *Wat* —1D **20** (2D **26**)
Edgware Bury. —6C 24
Edgwarebury La. *Els & Edgw* (in three parts) —5B **24**
Edgware Way. *Els* —6A **24**
Edinburgh Av. *Mil E* —3F **17**
Edinburgh Dri. *Ab L* —4B **4**
Edridge Clo. *Bush* —3B **22**
Edulf Rd. *Borwd* —5E **15**
Edward Amey Clo. *Wat* —2D **10**
Edward Clo. *Ab L* —4A **4**
Elderberry Way. *Wat* —1C **10**
Elder Ct. *Bush* —6D **22**
Eldon Av. *Borwd* —6D **14**
Elfrida Rd. *Wat* —3D **20** (6C **26**)
Elgar Clo. *Els* —5A **24**
Elizabeth Ct. *Wat* —4A **10**
Elizabeth Ho. *Wat* —6D **10** (1D **26**)
Ellenbrook Clo. *Wat* —5D **10**
Ellwood Ct. *Wat* —6C **4**
Ellwood Gdns. *Wat* —6D **4**
Elm Av. *Wat* —5F **21**
Elmcote Way. *Crox G* —4C **18**
Elm Ct. *Wat* —1C **20** (2A **26**)
Elm Gro. *Wat* —3B **10**
Elmhurst Clo. *Bush* —2F **21**
Elm Tree Wlk. *Chor* —1E **17**
Elm Wlk. *Rad* —2E **13**
Elm Way. *Rick* —5G **17**
Elmwood Av. *Borwd* —2E **25**
Elstree. —4A 24
Elstree Aerodrome. —2F 23
Elstree Distribution Pk. *Borwd* —1G **25**
Elstree Hill N. *Els* —3A **24**
Elstree Hill S. *Els* —5A **24**
Elstree Ho. Borwd —6G 15 (off Elstree Way)
Elstree Pk. Mobile Homes. *Barn* —4G **25**
Elstree Rd. *Bus H & Bush* —5C **22**
Elstree Studios. *Borwd* —1E **25**
Elstree Tower. Borwd —6G 15 (off Elstree Way)
Elstree Way. *Borwd* —1E **25**
Elton Pk. *Wat* —6B **10**
Elton Way. *Wat* —5H **11**
Ely Gdns. *Borwd* —3G **25**
Emerald Ct. Borwd —5C 14 (off Aycliffe Rd.)
Empire Cen. *Wat* —5D **10**
Enid Clo. *Brick W* —3G **5**
Essex La. *K Lan* —5G **3**
Essex Rd. *Borwd* —1D **24**
Essex Rd. *Wat* —6B **10** (1A **26**)
Estcourt Rd. *Wat* —1D **20** (2C **26**)
Euston Av. *Wat* —3A **20**
Evans Av. *Wat* —1A **10**
Evans Clo. *Crox G* —3D **18**
Evensyde. *Wat* —4F **19**
Everett Clo. *Bus H* —6D **22**
Everett Ct. *Rad* —6F **7**
Exchange Rd. *Wat* —1C **20** (3B **26**)
Exeter Clo. *Wat* —6D **10**
Exeter Ho. *Borwd* —6D **14**
Explorer Dri. *Wat* —4A **20**

F
Faggots Clo. *Rad* —1H **13**
Fairburn Clo. *Borwd* —5D **14**
Fair Clo. *Bush* —5A **22**
Fairfield Clo. *Rad* —3D **12**
Fairfolds. *Wat* —2F **11**
Fairlawns. *Wat* —4A **10**
Fairview Dri. *Wat* —2H **9**
Fairway Av. *Borwd* —6E **15**
Fairway Ho. Borwd —1E 25 (off Eldon Av.)
Fairway, The. *Ab L* —4G **3**
Faithfield. *Bush* —3F **21**
Falconer Rd. *Bush* —4G **21**
Falcon Way. *Wat* —6F **5**
Faraday Clo. *Wat* —4G **19**
Farm Clo. *Borwd* —4A **14**
Farmers Clo. *Wat* —5C **4**
Farmfield. *Wat* —4H **9**
Farm La. *Loud* —1H **17**
Farm Rd. *Chor* —1A **16**
Farm Way. *Bush* —2A **22**
Farraline Rd. *Wat* —2C **20** (5B **26**)
Farrant Way. *Borwd* —5B **14**
Farriers Ct. *Leav* —4C **4**
Farriers Way. *Borwd* —3G **25**
Fay Grn. *Ab L* —5G **3**
Fearney Mead. *Mil E* —5F **17**
Fearnley St. *Wat* —2C **20** (5A **26**)
Featherstone Gdns. *Borwd* —2G **25**
Federal Way. *Wat* —5D **10**
Felden Clo. *Wat* —6E **5**
Fell Path. Borwd —3G 25 (off Clydesdale Clo.)
Felton Clo. *Borwd* —4B **14**
Fenwick Path. *Borwd* —4C **14**
Ferndene. *Brick W* —3G **5**
Fernhills. *K Lan* —6G **3**
Fern Way. *Wat* —1C **10**
Fidler Pl. *Bush* —4A **22**
Field End Clo. *Wat* —5F **21**
Field Rd. *Wat* —4F **21**
Field Vw. Ri. *Brick W* —1F **5**
Field Way. *Rick* —5G **17**
Fifth Av. *Wat* —1E **11**
Finch Grn. *Chor* —1E **17**
Finch La. *Bush* —1G **21**
Finucane Ri. *Bus H* —6B **22**
Finway Ct. *Wat* —3A **20**
Firbank Dri. *Wat* —5F **21**
First Av. *Wat* —1D **10**
Firtree Ct. *Borwd* —2C **24**
Fir Tree Hill. *Chan X* —4C **8**
Fisher Clo. *K Lan* —1D **2**
Fishers Clo. *Bush* —1F **21**
Fisher's Ind. Est. *Wat* —3D **20** (6C **26**)
Five Acres. *K Lan* —1C **2**
Five Acres Av. *Brick W* —1G **5**
Flaunden Ho. *Wat* —4H **19**
Flete Ho. *Wat* —4H **19**
Florence Clo. *Wat* —1B **10**
Florida Clo. *Bus H* —6C **22**
Follet Dri. *Ab L* —3A **4**
Folly Clo. *Rad* —2E **13**
Folly Pathway. *Rad* —1E **13**
Ford Clo. *Bush* —2B **22**
Forest Rd. *Wat* —5C **4**
Forest Wlk. *Bush* —5G **11**
Fortune La. *Els* —4A **24**
Fotherley Rd. *Mil E* —6E **17**
Fourth Av. *Wat* —1E **11**
Four Tubs, The. *Bush* —5C **22**
Fox All. *Wat* —3D **20** (6D **26**)
Fox Clo. *Bush* —3A **22**
Fox Clo. *Els* —4A **24**
Foxhill. *Wat* —2B **10**
Foxlands Clo. *Leav & Wat* —6B **4**
Foxtree Ho. *Wat* —2F **11**
Francis Rd. *Wat* —2C **20** (4A **26**)
Frankland Clo. *Crox G* —5D **18**
Frankland Rd. *Crox G* —4E **19**
Franklin Rd. *Wat* —6C **10** (1B **26**)
Friars Mead. *K Lan* —2D **2**
Friars Way. *Bush* —5G **11**
Friars Way. *K Lan* —2D **2**
Frobisher Clo. *Bush* —4H **21**
Frogmore. *Park & St Alb* —1D **6**
Frogmore Cotts. *Wat* —3E **21**
Fuller Gdns. *Wat* —3C **10**
Fuller Rd. *Wat* —3C **10**
Fuller Way. *Crox G* —3D **18**
Fulton Ct. Borwd —4C 14 (off Aycliffe Rd.)
Furtherfield. *Ab L* —4H **3**
Furzehill Pde. *Borwd* —1D **24**
Furzehill Rd. *Borwd* —2D **24** (in two parts)
Furze Vw. *Chor* —3B **16**

G
Gable Clo. *Ab L* —4H **3**
Gables Av. *Borwd* —1C **24**
Gables, The. *Leav* —5E **5**
Gables, The. *Wat* —5D **20**
Gaddesden Cres. *Wat* —6E **5**
Gade Av. *Wat* —2H **19**
Gade Bank. *Wat* —2G **19**
Gade Clo. *Wat* —2H **19**
Gade Side. *Wat* —1H **9**
Gade Valley Clo. *K Lan* —1D **2**
Gade Vw. Gdns. *K Lan* —4F **3**
Gadswell Clo. *Wat* —2E **11**
Gallows Hill. *K Lan* —4F **3**
Gallows Hill La. *Ab L* —4F **3**
Gammons Farm Clo. *Wat* —2A **10**
Gammons La. *Wat* —2H **9** (in two parts)
Ganders Ash. *Wat* —5B **4**
Gandhi Ct. *Wat* —6E **11**
Garden Clo. *Wat* —6A **10**
Garden Rd. *Ab L* —3H **3**
Gardens, The. *Wat* —6A **10**
Gareth Ct. Borwd —4C 14 (off Aycliffe Rd.)
Garfield St. *Wat* —4C **10**
Garnett Clo. *Wat* —3E **11**
Garnett Dri. *Brick W* —1G **5**
Garratts Rd. *Bush* —5B **22**
Garsmouth Way. *Wat* —2E **11**
Garston. —1D 10
Garston Cres. *Wat* —6D **4**
Garston Dri. *Wat* —6D **4**
Garston La. *Wat* —6E **5**
Garston Pk. Pde. *Wat* —6E **5**
Garth, The. *Ab L* —5G **3**
Gartlet Rd. *Wat* —1D **20** (2C **26**)
Gate Clo. *Borwd* —5F **15**
Gateshead Rd. *Borwd* —5C **14**
Gaumont App. *Wat* —1C **20** (2B **26**)
Geddes Rd. *Bush* —2B **22**
Georges Mead. *Els* —4B **24**
George St. *Wat* —2D **20** (5C **26**)
Giant Tree Hill. *Bus H* —6C **22**
Gibbons Clo. *Borwd* —5B **14**
Gillan Grn. *Bus H* —6B **22**
Gill Clo. *Wat* —4F **19**
Gills Hill. *Rad* —1E **13**
Gills Hill La. *Rad* —2E **13**
Gills Hollow. *Rad* —2E **13**
Girtin Rd. *Bush* —3A **22**
Girton Way. *Crox G* —3F **19**
Gisburne Way. *Wat* —3B **10**
Gladstone Rd. *Wat* —1D **20** (3D **26**)
Glebe, The. *K Lan* —1D **2**
Glebe, The. *Wat* —5E **5**
Gleed Av. *Bus H* —6C **22**
Glencoe Rd. *Bush* —4H **21**
Glenhaven Av. *Borwd* —1D **24**
Glenmore Gdns. *Ab L* —4B **4**
Glen Way. *Wat* —4H **9**
Gloucester Ho. *Borwd* —6D **14**
Goldcrest Way. *Bush* —6B **22**
Goldfinch Way. *Borwd* —2D **24**
Golf Clo. *Bush* —1E **21**
Gonville Av. *Crox G* —4E **19**
Goodrich Clo. *Wat* —1B **10**
Goodwin Ho. *Wat* —4H **19**
Goodwood Av. *Wat* —1H **9**
Goodwood Pde. *Wat* —2H **9**
Goodwood Path. *Borwd* —6D **14**
Goodyers Av. *Rad* —5E **7**
Goosefields. *Rick* —3H **17**
Goral Mead. *Rick* —6A **18**
Gorelands La. *Chal G* —6A **16**
Gorle Clo. *Wat* —1B **10**
Gosford Ho. *Wat* —4H **19**
Gossamers, The. *Wat* —6F **5**
Grace Clo. *Borwd* —5G **15**
Grandfield Av. *Wat* —5A **10**
Grange Clo. *Wat* —5B **10**
Grange La. *Let H* —5C **12**
Grange Rd. *Bush* —3F **21**
Grange Rd. *Els* —3C **24**
Grange, The. *Ab L* —3H **3**
Grantham Grn. *Borwd* —3F **25**
Granville Rd. *Wat* —2D **20** (5C **26**)
Grasmere Clo. *Wat* —4C **4**
Grassington Clo. *Brick W* —2H **5**
Graveley Av. *Borwd* —3F **25**
Graylings, The. *Ab L* —5G **3**
Great Gro. *Bush* —2A **22**
Greatham Rd. *Bush* —1E **21**
Great Pk. *K Lan* —2C **2**
Greenbank Rd. *Wat* —2G **9**
Greenbury Clo. *Chor* —1B **16**
Green Edge. *Wat* —1B **10**
Greenhill Cres. *Wat* —4G **19**
Greenhill Rd. *Wat* —4H **19**
Greenhills Clo. *Rick* —2G **17**
Green La. *Crox G* —3C **18**
Green La. *Wat* —5D **20**
Greenside. *Borwd* —4D **14**
Green St. *Chen & Chor* —1B **16**
Green St. *Shenl & Borwd* —1D **14**
Greensward. *Bush* —4A **22**
Green, The. *Crox G* —4C **18**
Green, The. *Let H* —5D **12**
Greenways. *Ab L* —4H **3**
Greenway, The. *Rick* —4F **17**
Greenwood Clo. *Bus H* —5D **22**
Greenwood Dri. *Wat* —6C **4**
Gregson Clo. *Borwd* —5F **15**
Grenfell Clo. *Borwd* —5F **15**
Greycaine Rd. *Wat* —3E **11**
Greycaine Trad. Est. *Wat* —3E **11**
Grey Ho., The. *Wat* —6B **10** (1A **26**)
Griffon Way. *Leav* —6A **4**
Grosvenor Ct. *Crox G* —3G **19**
Grosvenor Rd. *Borwd* —1D **24**
Grosvenor Rd. *Wat* —2D **20** (4D **26**)
Grove Bank. *Wat* —6E **21**
Grove Cres. *Crox G* —2D **18**
Grove Hall Rd. *Bush* —2F **21**
Grove Ho. *Bush* —4G **21**
Grove Mill La. *Wat* —3E **9**
Grove Rd. *Borwd* —5D **14**
Grove Rd. *Mil E* —6F **17**
Grover Rd. *Wat* —5E **21**
Grove, The. Crox G —2D 18 (off Dugdales)
Grove, The. *Rad* —6F **7**
Grove, The. *Stan* —6F **23**
Grove Way. *Chor* —2A **16**
Grovewood Clo. *Chor* —2A **16**
Gulland Clo. *Bush* —3B **22**
Gullet Wood Rd. *Wat* —1B **10**
Gwent Clo. *Wat* —6E **5**
Gypsy La. *K Lan* —1G **9**

H
Hackney Clo. *Borwd* —3G **25**
Haddon Clo. *Borwd* —6D **14**
Haddon Rd. *Chor* —2B **16**
Hadley Clo. *Els* —4C **24**
Hagden La. *Wat* —2A **20**
Haggerston Rd. *Borwd* —4B **14**
Haines Way. *Wat* —6B **4**
Halifax Clo. *Leav* —6A **4**
Halifax Rd. *Herons* —4B **16**
Hallam Clo. *Wat* —6D **10** (1D **26**)
Hall Clo. *Mil E* —5F **17**
Halsey Pl. *Wat* —4C **10**
Halsey Rd. *Wat* —1C **20** (3A **26**)
Halter Clo. *Borwd* —3G **25**
Hamble Ct. *Wat* —2B **20**
Hambledon Pl. *Rad* —1E **13**
Hamilton Clo. *Brick W* —3H **5**
Hamilton Rd. *K Lan* —5F **3**
Hamilton St. *Wat* —3D **20**
Hamlet Clo. *Brick W* —2G **5**
Hampden Pl. *Frog* —1D **6**
Hampden Way. *Wat* —2H **9**
Hampermill La. *Wat* —6A **20**
Hancock Ct. *Borwd* —5F **15**
Handley Ga. *Brick W* —1G **5**
Hanover Gdns. *Ab L* —2A **4**
Happy Valley Ind. Est. *K Lan* —1E **3**
Harbert Gdns. *Park* —1A **6**
Harcourt Rd. *Bush* —3B **22**
Harding Clo. *Wat* —5D **4**
Harebreaks, The. *Wat* —3B **10**
Hare Cres. *Wat* —4B **4**
Harefield Rd. *Rick* —6B **18**
Harewood. *Rick* —1G **17** (in two parts)
Harford Dri. *Wat* —4H **9**
Harkness Ind. Est. *Borwd* —3D **24**
Harlech Rd. *Ab L* —3B **4**
Harlequin, The. *Wat* —2D **20** (4C **26**)
Harley Ho. Borwd —6E 15 (off Brook Clo.)
Harper La. *Rad & Shenl* —4E **7**
Harriet Walker Way. *Rick* —4E **17**
Harriet Way. *Bush* —5C **22**
Harris Rd. *Wat* —1B **10**
Hartfield Av. *Els* —2D **24**
Hartfield Clo. *Els* —3D **24**
Hartforde Rd. *Borwd* —6D **14**
Hartsbourne Pk. *Bush* —6D **22**
Hartsbourne Rd. *Bus H* —6C **22**
Harts Clo. *Bush* —6H **11**
Hartspring Ind. Est. *Wat* —6H **11**
Hartspring La. *Bush* —6H **11**
Harvest End. *Wat* —2E **11**
Harvest Rd. *Bush* —2A **22**
Harvey Rd. *Crox G* —4D **18**
Harwoods Rd. *Wat* —2B **20**
Hastings Way. *Bush* —2F **21**
Hastings Way. *Crox G* —2F **19**
Hatfield Rd. *Wat* —5C **10**
Hatters La. *Wat* —4G **19**
Haweswater Dri. *Wat* —5D **4**
Hawkins Clo. *Borwd* —6F **15**
Hawthorn Clo. *Ab L* —4B **4**
Hawthorn Clo. *Wat* —4A **10**
Hawthorne Rd. *Rad* —6F **7**
Hawtrees. *Rad* —1E **13**
Hay Clo. *Borwd* —6F **15**
Haydon Rd. *Wat* —4F **21**
Hayes. *K Lan* —1D **2**
Hayfield Clo. *Bush* —2A **22**
Haywood Pk. *Chor* —2E **17**
Hazelbury Av. *Ab L* —4F **3**
Hazel Gro. *Wat* —1C **10**
Hazel Rd. *Park* —1A **6**
Hazel Tree Rd. *Wat* —3C **10**
Hazelwood La. *Ab L* —4F **3**
Hazelwood Rd. *Crox G* —4F **19**
Healey Rd. *Wat* —4A **20**
Heathbourne Rd. *Bus H & Stan* —6D **22**
Heathdene Mnr. *Wat* —5A **10**
Heather Clo. *Ab L* —4B **4**
Heather La. *Wat* —2A **10**
Heather Ri. *Bush* —6G **11**
Heath Farm Ct. *Wat* —3G **9**
Heathfield Rd. *Bush* —2F **21**
Heath Lodge. *Bush* —6D **22**
Heath Rd. *Wat* —5E **21**
Heath, The. *Rad* —5F **7**
Heckford Clo. *Wat* —4F **19**
Helston Pl. *Ab L* —4A **4**
Hemingford Rd. *Wat* —2H **9**
Hemming Way. *Wat* —1B **10**
Hempstead Rd. *K Lan* —1D **2**
Hempstead Rd. *Wat* —2G **9** (2A **26**)
Hendon Wood La. *NW7* —4H **25**
Herga Ct. *Wat* —6B **10** (1A **26**)
Herkomer Clo. *Bush* —4A **22**
Herkomer Rd. *Bush* —3H **21**
Herne Ct. *Bush* —5B **22**
Herne Rd. *Bush* —4A **22**
Heronsgate. —4B 16
Heronsgate Rd. *Chor* —3A **16**
Herons Lea. *Wat* —2D **10**
Hertsmere Ind. Pk. *Borwd* —1G **25**
Heyford Rd. *Rad* —3E **13**
Hibbert Av. *Wat* —4E **11**
Hideaway, The. *Ab L* —3A **4**
High Acres. *Ab L* —4G **3**
High Canons. *Borwd* —3F **15**
High Clo. *Rick* —2H **17**
High Cross. —3C 12
High Cross. *A'ham* —3C **12**
High Elms La. *Wat* —3C **4**
Highfield. *K Lan* —1B **2**
Highfield Rd. *Bush* —3F **21**
Highfields. *Rad* —1E **13**
Highfield Way. *Rick* —3F **17**
High Firs. *Rad* —1F **13**
Highland Dri. *Bush* —5A **22**
Highlands. *Wat* —6D **20**
Highlands, The. *Rick* —4G **17**
High Rd. *Bus H & Bush* —6C **22**
High Rd. *Leav* —1A **10**
High St. *Ab L* —3H **3**
High St. *Bush* —4H **21**
High St. *Els* —4A **24**
High St. *K Lan* —1D **2**
High St. *Rick* —6A **18**
High St. *Wat* —1C **20** (2A **26**) (in four parts)
High Vw. *Chor* —1F **17**
High Vw. *Wat* —4A **20**
Highwood Av. *Bush* —5G **11**
Hilfield La. *A'ham* —5A **12**
Hilfield La. S. *Bush* —4E **23**
Hillary Ho. Borwd —1E 25 (off Eldon Av.)
Hill Cft. *Rad* —5F **7**
Hillcroft Cres. *Wat* —6C **20**
Hille Bus. Cen. *Wat* —5C **10**
Hill Farm Av. *Wat* —4B **4**
Hill Farm Clo. *Wat* —5B **4**
Hillingdon Rd. *Wat* —6B **4**
Hill Ri. *Rick* —3G **17**
Hillrise Av. *Wat* —4E **11**
Hillside Av. *Borwd* —2E **25**
Hillside Clo. *Ab L* —4H **3**
Hillside Cres. *Wat* —4F **21**
Hillside Rd. *Bush* —3F **21**
Hillside Rd. *Chor* —2B **16**
Hillside Rd. *Rad* —1G **13**
Himalayan Way. *Wat* —4A **20**
Hive Rd. *Bus H* —6C **22**
Hodges Way. *Wat* —4B **20**
Hogarth Ct. *Bush* —5A **22**
Hog La. *Els* —2F **23**
Holland Gdns. *Wat* —1D **10**
Hollybush Clo. *Wat* —5D **20**
Hollygrove. *Bush* —5C **22**
Holly Ind. Pk. *Wat* —5D **10**
Hollytree Ho. *Wat* —2H **9**
Hollywood Ct. *Borwd* —2D **24**
Holmdale Clo. *Borwd* —6C **14**
Holme Lea. *Wat* —6D **4**

A-Z Watford 29

Holme Pk. Borwd —6C 14
Holm Oak Pk. Wat —3A 20
Holmshill La. Borwd —2H 15
Holt Clo. Els —2C 24
Holtsmere Clo. Wat —1D 10
Holy Rood. Ct. Wat —2C 20 (4B 26)
Holywell. —4A 20
Holywell Rd. Wat —3B 20 (6A 26)
Homefield Rd. Bush —2H 21
Homefield Rd. Chor —1C 16
Homefield Rd. Rad —3E 13
Homemanor Ho. Wat —3A 26
Home Pk. Cotts. K Lan —2E 3
Home Pk. Ind. Est. K Lan —3E 3
Home Pk. Mill Link Rd. K Lan —2E 3
Homestead Rd. Rick —5A 18
Home Way. Mil E —5E 17
Homewood Ct. Chor —1E 17
Hope Grn. Wat —5B 4
Hop Garden Way. Wat —3D 4
Hopwood Clo. Wat —2H 9
Hornbeam Clo. Borwd —5D 14
Hornbeams. Brick W —2G 5
Hornets, The. Wat —2C 20 (5B 26)
Horseshoe La. Wat —4C 4
Horwood Clo. Rick —4F 17
Horwood Ct. Wat —3E 11
Howard Clo. Bus H —5D 22
Howard Clo. Wat —3B 10
Howard Dri. Borwd —2G 25
Howton Pl. Bus H —6C 22
Hubbards Rd. Chor —2C 16
Hudson Clo. Wat —2A 10
Hunter Clo. Borwd —3F 25
Hunter's La. Leav & Wat —5A 4
Hunters Ride. Brick W —3H 5
Hunter Wlk. Borwd —3G 25
Hunton Bridge. —5F 3
Hunton Bridge. (Junct.) —1G 9
Hunton Bri. Hill. K Lan —5F 3
Hunton Bri. Ind. Est. K Lan —5F 3
Hurricane Way. Ab L —5B 4
Hutchings Lodge. Rick —6B 18
Hyburn Clo. Brick W —2G 5
Hyde La. Frog & Park —1D 6
Hyde Rd. Wat —6B 10 (1A 26)
Hyver Hill. NW7 —4G 25

Imperial Pk. Way. Wat —5D 10
Imperial Pl. Borwd —1E 25
Imperial Way. Wat —5D 10
Isopad Ho. Borwd —1E 25 (off Shenley Rd.)
Itaska Cotts. Bush —6D 22
Ivinghoe Clo. Wat —1E 11
Ivinghoe Rd. Bush —5C 22
Ivinghoe Rd. Mil E —4F 17
Ivy Ho. Flats. Wat —4E 21
Ivy Lea. Rick —5F 17

Jacketts Fld. Ab L —3A 4
James Clo. Bush —3F 21
Jellicoe Rd. Wat —4B 20
Jenkins Av. Brick W —2F 5
Jordan Clo. Leav —1A 10
Jordans Rd. Rick —4F 17
Jordan's Way. Brick W —2F 5
Jubilee Rd. Wat —4B 10
Judge St. Wat —4C 10
Juniper Av. Brick W —3H 5
Juniper Gro. Wat —4B 10

Katherine Pl. Ab L —4B 4
Keble Ter. Ab L —4A 4
Keele Clo. Wat —6D 10 (1D 26)
Kelly Ct. Borwd —6G 15
Kelmscott Clo. Wat —3B 20
Kelmscott Cres. Wat —3B 20
Kelshall. Wat —2F 11
Kemp Pl. Bush —4H 21
Kemprow. —2C 12
Kemprow. A'ham —2C 12
Kendal Ct. Borwd —6F 15
Kendals Clo. Rad —2D 12
Kenford Clo. Wat —4C 4
Kenilworth Clo. Borwd —1F 25
Kenilworth Ct. Wat —5B 10
Kenilworth Dri. Borwd —1F 25
Kenilworth Dri. Crox G —2E 19
Kennedy Ct. Bush —6C 22
Kennett Ct. Wat —4A 26
Kensington Av. Wat —2A 20
Kensington Way. Borwd —1G 25
Kent Clo. Borwd —4G 15
Kenwood Dri. Mil E —6E 17
Kenwood Ho. Wat —5G 19
Keston M. Wat —6C 10
Kestral Clo. Wat —6F 5
Kestrels, The. Brick W —3G 5
Kilby Clo. Wat —1E 11
Kildonan Clo. Wat —5A 10
Kimble Clo. Wat —5H 19
Kimble Cres. Bush —5B 22
Kimbolton Grn. Borwd —2F 25
Kimpton Pl. Wat —6E 5
Kindersley Way. Ab L —3F 3
Kinetic Bus. Cen. Borwd —1D 24
King Edward Rd. Wat —4F 21
Kingfisher Lure. K Lan —1E 3
Kingfisher Lure. Loud —1G 17
King George Av. Bush —4A 22
King George's Av. Wat —3H 19
King's Av. Wat —2A 20
King's Clo. Wat —2C 20 (5C 26)
Kings Farm Rd. Chor —3C 16
Kingsfield Ct. Wat —5E 21
Kingsfield Rd. Wat —5E 21
Kings Langley. —1D 2
Kings Langley By-Pass. Hem H —1A 2
Kingsley Av. Borwd —6C 14
Kings Mdw. K Lan —1D 2
King's Oak. Crox G —2D 18
Kings Pk. Ind. Est. K Lan —1E 3
King St. Wat —2D 20 (5C 26)
Kingsway N. Orbital Rd. Wat —1A 10
Kingswood. —6C 4
Kingswood Rd. Wat —6C 4
Kitswell Rd. Rad —5E 7
Kitswell Way. Rad —5E 7
Kitters Grn. Ab L —3H 3
Knebworth Path. Borwd —2G 25
Knowl Pk. Els —3B 24
Knowl Way. Els —3C 24
Knutsford Av. Wat —4E 11
Koh-I-Nor Av. Bush —4H 21
Kytes Dri. Wat —5E 5
Kytes Est. Wat —5E 5

Lady's Clo. Wat —2D 20 (5B 26)
Lakeside Ct. Els —3D 24
Lake, The. Bush —6C 22
Lamb Clo. Wat —6D 4
Lambert Ct. Wat —2E 21
Lamberton Ct. Borwd —5D 14 (off Gateshead Rd.)
Lambourn Chase. Rad —2E 13
Lammas Rd. Wat —3D 20 (6D 26)
Lamorna Clo. Rad —6G 7
Lancaster Way. Ab L —3A 4
Lancing Ho. Wat —6D 10 (off Hallam Clo.)
Lancing Way. Crox G —3E 19
Lands End. Els —4A 24
Lane Gdns. Bus H —5D 22
Langholme. Bush —6B 22
Langleybury. —6E 3
Langleybury La. Wat & K Lan —6E 3
Langley Cres. K Lan —2D 2
Langley Hill. K Lan —1C 2
Langley Hill Clo. K Lan —1D 2
Langley La. Ab L —3A 4
Langley Rd. Ab L —3H 3
Langley Rd. Wat —5A 10
Langley Way. Wat —6H 9
Langmead Dri. Bus H —6D 22
Langwood Gdns. Wat —5B 10
Lansdowne Clo. Wat —1E 11
Lapwing Pl. Wat —4D 4
Lapwing Way. Ab L —3B 4
Larch Av. Brick W —2F 5
Larches, The. Bush —3E 21
Larken Clo. Bush —6B 22
Larken Dri. Bush —6B 22
Latimer Clo. Wat —5H 19
Lauderdale Rd. K Lan —5F 3
Laughton Ct. Borwd —6F 15
Laurel Clo. Wat —5E 21
Laurels, The. Borwd —5D 14
Laurels, The. Bush —6D 22
Lavinia Av. Wat —6E 5
Lavrock La. Rick —5C 18
Lawford Av. Chor —3B 16
Lawford Clo. Chor —3B 16
Lea Bushes. Wat —1F 11
Lea Clo. Bush —3A 22
Leaford Ct. Wat —3A 10
Leaford Cres. Wat —3A 10
Leander Gdns. Wat —3F 11
Lea Rd. Wat —4C 10
Leas, The. Bush —5G 11
Leavesden. —5B 4
Leavesden Green. —6B 4
Leavesden Green. (Junct.) —1A 10
Leavesden Rd. Wat —4C 10
Lebanon Clo. Wat —2G 9
Le Corte Clo. K Lan —1C 2
Leeming Rd. Borwd —5C 14
Leggatts Clo. Wat —2A 10
Leggatts Ri. Wat —1B 10
Leggatts Way. Wat —2A 10
Leggatts Wood Av. Wat —2C 10
Leigh Ct. Borwd —6G 15
Lemon Fld. Dri. Wat —4F 5
Lemsford Ct. Borwd —2F 25
Lester Ct. Wat —3D 10
Letchmore Heath. —5D 12
Letchmore Rd. Rad —2F 13
Leveret Clo. Wat —6B 4
Lewes Way. Crox G —2F 19
Lexington Clo. Borwd —1C 24
Lime Clo. Wat —5E 21
Lime Tree Wlk. Bush —6D 22
Lime Tree Wlk. Rick —2G 17
Lincoln Ct. Borwd —3G 25
Lincoln Dri. Crox G —2E 19
Lincolnsfield Cen., The. Bush —2G 21
Lincoln Way. Crox G —2E 19
Linden Lea. Wat —5B 4
Lingfield Way. Wat —4A 10
Lingmoor Dri. Wat —6D 4
Link Rd. Wat —6E 11
Links Dri. Els —1C 24
Links Dri. Rad —5E 7
Links Way. Crox G —1F 19
Linnet Clo. Bush —5B 22
Linnet Rd. Ab L —3B 4
Linster Gro. Borwd —3F 25
Linton Av. Borwd —5C 14
Lion Ct. Borwd —5F 15
Lismirrane Ind. Pk. Els —4G 23
Lister Cotts. Els —3F 23
Littlebury Ct. Wat —2B 20
Lit. Bushey La. Bush —6H 11
Little Graylings. Ab L —5H 3
Lit. Green La. Crox G —1C 18
Little Gro. Bush —2A 22
Little Hill. Herons —3B 16
Lit. How Cft. Ab L —3F 3
Little Martins. Bush —3A 22
Lit. Orchard Clo. Ab L —4G 3
Little Potters. Bush —5C 22
Liverpool Rd. Wat —3C 20 (6B 26)
Loates La. Wat —1D 20 (3C 26)
Local Board Rd. Wat —3D 20 (6D 26)
Lodge Av. Els —3C 24
Lodge Dri. Loud —1H 17
Lodge End. Crox G —2G 19
Lodge End. Rad —6G 7
Lodge, The. Wat —1D 26
Lombardy Way. Borwd —5B 14
London Rd. Bush —4F 21
London Rd. Rick —6B 18
London Rd. Shenl & Borwd —1D 14
Long Barn Clo. Wat —4B 4
Longcroft. Wat —5C 20
Long Elms. Ab L —5G 3
Long Elms Clo. Ab L —5G 3
Long La. Herons & Mil E —3B 16 (in two parts)
Longmans. Wat —4F 19
Longspring. Wat —4C 10
Loom La. Rad —3E 13
Loom Pl. Rad —2F 13
Lorane Ct. Wat —6B 10
Lord St. Wat —1D 20 (3C 26)
Loudwater. —1A 18
Loudwater Dri. Loud —1H 17
Loudwater La. Crox G & Loud —2H 17
Loudwater Ridge. Loud —1H 17
Louvain Way. Wat —4C 4
Lovatts. Crox G —2D 18
Love La. Ab L —2A 4
Love La. K Lan —1B 2
Lwr. Derby Rd. Wat —2D 20 (5D 26)
Lwr. High St. Wat —2D 20 (5D 26)
Lwr. Paddock Rd. Wat —4F 21
Lower Plantation. Loud —1H 17
Lower Rd. Chor —1B 16
Lower Tub. Bush —5C 22
Lowestoft Rd. Wat —5C 10
Loweswater Clo. Wat —5D 4
Lowson Gro. Wat —5F 21
Lowther Clo. Els —3C 24
Ludlow Way. Crox G —2F 19
Lullington Gth. Borwd —3E 25
Lych Ga. Wat —5E 5
Lye La. Brick W —2H 5
Lymington Ct. Wat —6B 4
Lynbury Ct. Wat —1B 20
Lynwood Heights. Rick —2G 17
Lysander Way. Ab L —4B 4

Mabbutt Clo. Brick W —2F 5
Macdonnell Gdns. Wat —1A 10
McKellar Clo. Bus H —6B 22
Magnaville Rd. Bus H —5D 22
Magnolia Av. Ab L —4B 4
Magpie Hall Rd. Bus H —6D 22
Magpie Pl. Wat —4D 4
Main Pde. Chor —1B 16
Malden Fields. Bush —3E 21
Malden Rd. Borwd —1D 24
Malden Rd. Wat —6C 10 (1A 26)
Mallard Ct. Rick —5A 18 (off Swan Clo.)
Mallard Rd. Ab L —3B 4
Mallard Way. Wat —3F 11
Malt Ho. Pl. Rad —6F 7
Maltings, The. K Lan —6F 3
Malt La. Rad —1F 13
Malvern Clo. Bush —4B 22
Malvern Ho. Wat —4G 19
Malvern Way. Crox G —3E 19
Mandela Pl. Wat —6E 11
Mandeville Clo. Wat —4A 10
Manning Ct. Wat —4E 21
Manor Ho. Gdns. Ab L —3G 3
Manor Rd. Wat —5C 10
Manor Way. Borwd —1F 25
Manor Way. Crox G —2D 18
Maple Clo. Bush —6F 11
Maple Ct. Borwd —2D 24 (off Drayton Rd.)
Maple Ct. Wat —2E 11
Maplefield. Park —1A 6
Maple Gro. Wat —5B 10
Maple Leaf Clo. Ab L —4B 4
Maples, The. Borwd —5D 14
Margaret Clo. Ab L —4A 4
Margeholes. Wat —6F 21
Marian Gdns. Leav —5C 4
Marion Clo. Bush —5G 11
Market St. Wat —2C 20 (5B 26)
Markham Clo. Borwd —6C 14
Marlborough Rd. Wat —2C 20 (4A 26)
Marlin Ho. Wat —4G 19
Marlins Mdw. Wat —4G 19
Marlin Sq. Ab L —3A 4
Marriot Ter. Chor —1E 17
Marsworth Clo. Wat —5H 19
Martins Clo. Rad —2D 12
Martins Wlk. Borwd —2D 24
Marwood Clo. K Lan —1C 2
Masefield Av. Borwd —3E 25
Mason Clo. Borwd —6G 15
Maude Cres. Wat —4C 10
Maxwell Clo. Mil E —6F 17
Maxwell Ri. Wat —5F 21
Maxwell Rd. Borwd —1E 25
Maydwell Lodge. Borwd —6C 14
May Cotts. Wat —3D 20
Mayfare. Crox G —3G 19
May Gdns. Els —4A 24
Maythorne Clo. Wat —2H 19
Maytree Cres. Wat —1A 10
Maytrees. Rad —3F 13
Meadfield. Edgw —6E 25
Meadfield Grn. Edgw —6E 25
Meadowbank. K Lan —2D 2
Meadowbank. Wat —5D 20
Meadow Clo. Brick W —1H 5
Meadowcroft. Bush —4A 22 (off High St.)
Meadow Mead. Rad —5E 7
Meadow Rd. Borwd —6E 15
Meadow Rd. Bush —3A 22
Meadow Rd. Wat —6B 4
Meadow Way. K Lan —2D 2
Meadow Way. Rick —4H 17
Mead Pl. Rick —5G 17
Meads, The. Brick W —1G 5
Mead Way. Bush —6F 11
Medway Clo. Wat —6D 4
Meeting All. Wat —2D 20 (4C 26)
Melbourne Rd. Bush —3A 22
Melrose Av. Borwd —3E 25
Melrose Pl. Wat —4A 10
Mendip Rd. Bush —4B 22
Meriden. —2F 11
Meriden Way. Wat —2F 11
Merlin Way. Leav —6A 4
Merry Hill. —6H 21
Merry Hill Mt. Bush —6A 22
Merry Hill Rd. Bush —4G 21
Merton Rd. Wat —2C 20 (5B 26)
Meryfield Clo. Borwd —6C 14
Metro Cen., The. Wat —5F 19
Metropolitan Sta. App. Wat —1A 20
Mews, The. Wat —5C 26
Micklefield Way. Borwd —4B 14
Middle Furlong. Bush —2A 22
Middle Ope. Wat —3C 10
Middleton Rd. Mil E —5F 17
Middle Way. Wat —3B 10
Milbourne Ct. Wat —6B 10 (1A 26)
Milby Ct. Borwd —5C 14
Mildred Av. Borwd —2D 24
Mildred Av. Wat —2A 20
Milestone Ct. Rad —6F 7
Milland Ct. Borwd —5G 15
Millbrook Rd. Bush —5G 11
Mill End. —5F 17
Millennium Wharf. Rick —5B 18
Millfield Ho. Wat —4G 19
Mill La. Crox G —4F 19
Mill La. K Lan —1D 2
Mill Stream Lodge. Mil E —6F 17
Mill Way. Bush —6F 11
Mill Way. Mil E —5E 17
Milner Clo. Wat —6C 4
Milner Ct. Bush —4A 22
Milthorne Clo. Crox G —3C 18
Milton Dri. Borwd —3E 25
Milton St. Wat —4C 10
Minerva Dri. Wat —2H 9
Missenden Ho. Wat —5H 19 (off Chenies Way)
Mitchell Clo. Ab L —4B 4
Moat Clo. Bush —3A 22
Moatfield Rd. Bush —3A 22
Moat Vw. Ct. Bush —3A 22
Molteno Rd. Wat —4B 10
Moneyhill. —5G 17
Moneyhill Ct. Rick —5G 17
Moneyhill Pde. Rick —5G 17
Money Hill Rd. Rick —5H 17
Monica Clo. Wat —6D 10 (1D 26)
Monksmead. Borwd —2F 25
Monkswood Gdns. Borwd —3G 25
Monmouth Rd. Wat —1C 20 (2B 26)
Montacute Rd. Bus H —5D 22
Montague Hall Pl. Bush —4H 21
Moor La. Rick —6C 18
Moor La. Crossing. Wat —5F 19
Moor Mill La. Col S —1D 6 (in two parts)
Moor Pk. Ind. Cen. Wat —5F 19
Moor Vw. Wat —5B 20
Moran Clo. Brick W —3G 5
Morgan Gdns. A'ham —4A 12
Mornington Rd. Rad —6F 7
Morpeth Av. Borwd —4C 14
Mortimer Clo. Bush —4A 22
Moss Rd. Wat —6C 4
Moss Side. Brick W —2G 5
Mostyn Rd. Bush —3B 22
Mt. Pleasant La. Brick W —2F 5
Mount, The. Rick —3H 17
Mount Vw. Rick —5G 17
Mowat Ind. Est. Wat —3D 10 (off Sandown Rd.)
Mulberry Clo. Park —1A 6
Mulberry Clo. Wat —2H 9
Mulberry Lodge. Wat —4E 21 (off Eastbury Rd.)
Munden. —6A 6
Munden Dri. Wat —3F 11
Munden Gro. Wat —4D 10
Munro Rd. Bush —3A 22
Muriel Av. Wat —3D 20 (6D 26)
Mutchetts Clo. Wat —5F 5

Nan Clark's La. NW7 —6H 25
Nancy Downs. Wat —5D 20
Napier Rd. Wat —2F 21
Nap, The. K Lan —1D 2
Nascot Pl. Wat —6C 10
Nascot Rd. Wat —6C 10
Nascot St. Wat —6C 10 (1A 26)
Nascot Wood Rd. Wat —3A 10
Nash Clo. Els —2C 24
National Westminster Ho. Borwd —1E 25
Neagle Clo. Borwd —5F 15
Neal St. Wat —3D 20 (6C 26)
Neild Way. Rick —4E 17
Neptune Ct. Borwd —1D 24
Neston Rd. Wat —3D 10
Nevill Gro. Wat —5C 10
Newark Grn. Borwd —1G 25
Newberries Av. Rad —1G 13
Newhouse Cres. Wat —4C 4
Newlands Av. Rad —6E 7
Newlands Wlk. Wat —5E 5
Newlyn Clo. Brick W —2F 5
New Pde. Chor —1B 16
New Rd. Crox G —3D 18
New Rd. Els —4A 24
New Rd. Let H —5D 12
New Rd. Rad —2D 12
New Rd. Wat —2D 20 (5D 26)
New St. Wat —2D 20 (4C 26)
Newton Cres. Borwd —2F 25
Newton Ho. Borwd —1G 25 (off Chester Rd.)
Nicholas Clo. Wat —3C 10
Nicholas Rd. Els —4C 24
Nicholson Dri. Bush —6B 22
Nicoll Way. Borwd —3G 25
Nightingale Clo. Ab L —3B 4
Nightingale Clo. Rad —2E 13
Nightingale Pl. Rick —5A 18
Nightingale Rd. Bush —3H 21
Nightingale Rd. Rick —4H 17
Nimmo Dri. Bus H —5C 22
Niven Clo. Borwd —5F 15
Norbury Av. Wat —5D 10
Norfolk Av. Wat —4D 10
Norfolk Gdns. Borwd —2G 25
Norfolk Rd. Rick —6B 18
Normans Fld. Clo. Bush —5A 22
North App. Wat —1A 10

Northcotts —South Riding

Northcotts. Ab L —5G 3
(off Long Elms Clo.)
North Ct. Mil E —5F 17
Northfield Gdns. Wat —3D 10
Northfield Rd. Borwd —5E 15
Northgate Path. Borwd —4C 14
N. Orbital Rd. Wat & St Alb —5E 5
North Riding. Brick W —2H 5
North Rd. Chor —2C 16
North Watford. —3C 10
Northway. Rick —5A 18
N. Western Av. A'ham —6A 12
N. Western Av. Wat —1G 9
(in two parts)
Norton Clo. Borwd —5D 14
Norwich Ho. Borwd —6D 14
(off Stratfield Rd.)
Norwich Way. Crox G —1E 19
Nottingham Clo. Wat —5B 4
Nottingham Rd. Herons —4B 16
Novello Way. Borwd —5G 15
Nuttfield Clo. Crox G —4F 19

Oak Av. Brick W —2H 5
Oakbank. Rad —2G 13
Oakdene Rd. Wat —2C 10
Oak Farm. Borwd —3F 25
Oakfield. Mil E —4E 17
Oakfield Ct. Borwd —1E 25
Oak Grn. Ab L —4H 3
Oak Grn. Way. Ab L —4H 3
Oakhurst Pl. Wat —2A 20
Oaklands Av. Wat —6C 20
Oaklands Ct. Wat —5B 10
Oakleigh Dri. Crox G —4F 19
Oak Path. Bush —4A 22
(off Mortimer Clo.)
Oakridge. Brick W —1G 5
Oakridge Av. Rad —6E 7
Oakridge La. A'ham & Rad —6C 6
Oaks Clo. Rad —1E 13
Oaks, The. Borwd —5D 14
Oaks, The. Wat —6D 20
Oak Tree Clo. Ab L —4G 3
Oaktree Ct. Els —4B 24
Oakwood Av. Borwd —2E 25
Oakwood Rd. Brick W —1G 5
Oakwya Pl. Coul —6F 7
Oberon Clo. Borwd —5F 15
Occupation Rd. Wat —3C 20 (6A 26)
Octavia Ct. Wat —6D 10 (1D 26)
Oddesey Rd. Borwd —5E 15
Odhams Trad. Est. Wat —3D 10
Old Barn La. Crox G —3C 18
Old Forge Clo. Wat —5B 4
Oldhouse La. K Lan —1B 8
Old Mill Rd. K Lan —5F 3
Old Parkbury La. Col S —1E 7
Old's App. Wat —6F 19
Old's Clo. Wat —5F 19
Old Shire La. Chor —3A 16
Old Watford Rd. Brick W —2F 5
On the Hill. Wat —6F 21
Orbital Cres. Wat —1A 10
Orchard Av. Wat —4C 4
Orchard Clo. Bus H —6C 22
Orchard Clo. Chor —1C 16
Orchard Clo. Els —2C 24
Orchard Clo. Rad —3D 12
Orchard Clo. Wat —6A 10
Orchard Dri. Chor —1B 16
Orchard Dri. Wat —5A 10
Orchard, The. K Lan —1D 2
Orchard Way. Mil E —4F 17
Organ Hall Rd. Borwd —5B 14
Oriole Clo. Ab L —3B 4
Orphanage Rd. Wat —6D 10 (1C 26)
Orwell Ct. Wat —1E 21
Osborne Rd. Wat —4D 10
Osprey Clo. Wat —6F 5
Otterspool La. Wat —4F 11
Otterspool Way. Wat —5G 11
Ottoman Ter. Wat —1D 20 (2D 26)
Otway Gdns. Bush —5D 22
Oundle Av. Bush —4B 22
Overstream. Loud —1G 17
Owens Way. Crox G —3D 18
Oxford Ho. Borwd —6D 14
(off Stratfield Rd.)
Oxford St. Wat —3C 20 (6A 26)
Oxhey. —4E 21
Oxhey Av. Wat —5E 21
Oxhey La. Wat & Harr —6F 21
Oxhey Rd. Wat —5D 20

Packhorse La. Borwd —3H 15
Paddock Clo. Wat —4F 21
Paddocks, The. Chor —1E 17
Palace Clo. K Lan —2C 2
Palace Theatre. —1C 20 (3B 26)
Palmer Av. Bush —3A 22
Palmers Rd. Borwd —5E 15
Pankhurst Pl. Wat —1D 20 (2D 26)
Pantiles, The. Bush —6C 22
Parade, The. Wat —1C 20 (2A 26)
Paramount Ind. Est. Wat —3D 10
(off Sandown Rd.)
Parish Clo. Wat —6D 4
Park Av. Bush —6E 11
Park Av. Chor —2F 17
Park Av. Rad —5G 7
Park Av. Wat —2B 20 (4A 26)
Park Av. Maisonettes. Bush —6G 11
Park Clo. Bush —1E 21
Park Cres. Els —1C 24
Parker St. Wat —5C 10
Parkfield. Chor —1E 17
Parkgate Rd. Wat —3D 10
Park Rd. Bush —4H 21
Park Rd. Rad —1F 13
Park Rd. Rick —5A 18
Park Rd. Wat —5B 10
Parkside. Wat —4D 20
Parkside Dri. Wat —6H 9
Park St. La. Park & St Alb —2A 6
Parkview Ho. Wat —4E 21
Park Way. Rick —5H 17
Parnell Clo. Ab L —2A 4
Parrots Clo. Crox G —2D 18
Parsonage Clo. Ab L —2H 3
Parsonage Rd. Rick —5A 18
Partridge Clo. Bush —6B 22
Pasture Clo. Bush —5B 22
Pastures, The. Wat —5D 20
Patchetts Green. —5B 12
Pathway, The. Rad —2E 13
(in two parts)
Pathway, The. Wat —6E 21
Paxton Ct. Borwd —2F 25
Paynesfield Rd. Bus H —5E 23
Peace Dri. Wat —1B 20 (3A 26)
Peace Prospect. Wat —1B 20 (2A 26)
Peacock Wlk. Ab L —3B 4
Peartree Ct. Wat —2E 11
Peerglow Ind. Est. Wat —6E 19
Pegasus Ct. Ab L —4A 4
Pegmire La. A'ham —5B 12
Pelhams, The. Wat —1E 11
Pembroke Ho. Borwd —2D 24
(off Station Rd.)
Penfold Trad. Est. Wat —5D 10
Penn Clo. Chor —3C 16
Penne Clo. Rad —6E 7
Penn Pl. Rick —5A 18
Penn Rd. Mil E —5E 17
Penn Rd. Wat —5C 10
Penn Way. Chor —3C 16
Penny Ct. Wat —1B 26
Penscroft Gdns. Borwd —2G 25
Penta Ct. Borwd —2D 24
(off Station Rd.)
Pentland Rd. Bush —4B 22
Percheron Rd. Borwd —4G 25
Percy Rd. Wat —2C 20 (4B 26)
Peregrine Clo. Wat —6F 5
Perivale Gdns. Wat —6C 4
Perry Mead. Bush —4B 22
Peterborough Ho. Borwd —6D 14
(off Stratfield Rd.)
Pheasants Way. Rick —4G 17
Phillimore Ct. Rad —2D 12
Phillimore Pl. Rad —2D 12
Phillipers. Wat —2E 11
Pickets Clo. Bus H —6C 22
Piggy La. Chor —3A 16
Pilgrims Clo. Wat —5E 5
Pine Gro. Brick W —2G 5
Pine Gro. Bush —6G 11
Pinehurst Clo. Ab L —4H 3
Pines, The. Borwd —6C 14
Pinetree Ho. Wat —2F 11
Pinewood Clo. Borwd —5G 15
Pinewood Clo. Wat —5B 10
Pinewood Lodge. Bush —6C 22
Pinfold Rd. Bush —6G 11
Pinner Rd. Wat —4E 21
Pinto Clo. Borwd —4G 25
Pioneer Way. Wat —4A 20
Pippins, The. Wat —6D 4
Police Sta. La. Bush —5A 22
Pomeroy Cres. Wat —2C 10
Popes La. Wat —3C 10
Pope's Rd. Ab L —3H 3
Poplars Clo. Wat —4C 4
Poplars, The. Borwd —5D 14
Potters La. Borwd —5F 15
Potters M. Els —4A 24
Poundfield. Wat —1A 10
Powis Ct. Bus H —6C 22
(off Rutherford Way)
Powys Ct. Borwd —1G 25
Prestwick Rd. Wat —6D 20
Prestwood. Wat —6F 21
Pretoria Rd. Wat —2B 20 (5A 26)
Primrose Gdns. Bush —5A 22
Primrose Gdns. Rad —1F 13
Primrose Hill. K Lan —1E 3
Prince's Av. Wat —3A 20
Prince St. Wat —1D 20 (2C 26)
Priory Ct. Bush —6B 22
Priory Vw. Bus H —5D 22
Prowse Av. Bus H —6B 22
Pryor Clo. Ab L —4A 4
Purbrock Av. Wat —2D 10
Purcell Clo. Borwd —5A 14
Purlings Rd. Bush —3A 22
Pursley Gdns. Borwd —4D 14

Queen Mary's Av. Wat —2H 19
Queen Mary Works. Wat —2H 19
Queen's Av. Wat —2A 20
Queen's Ct. Wat —2D 26
Queens Dri. Ab L —4A 4
Queens Dri., The. Rick —4E 17
Queens Pl. Wat —1D 20 (3D 26)
Queen's Rd. Wat —1D 20 (1C 26)
(in three parts)
Queenswood Cres. Wat —5B 4
Quickley La. Chor & Rick —3A 16
Quickley Ri. Chor —3B 16
Quickwood Clo. Rick —3F 17

Radlett. —1F 13
Radlett La. Shenl —6H 7
Radlett Pk. Rd. Rad —6F 7
Radlett Rd. A'ham —4A 12
Radlett Rd. Col S & Frog —1D 6
Radlett Rd. Wat —1D 20 (2D 26)
Radnor Hall Mobile Homes. Borwd —3B 24
Raglan Gdns. Wat —6C 20
Railway Cotts. Borwd —2D 24
(off Station Rd.)
Railway Cotts. Rad —1G 13
Railway Cotts. Wat —5C 10
Rainbow Ct. Wat —4D 20
Ranskill Ct. Borwd —5D 14
Ranskill Rd. Borwd —5D 14
Ransom Clo. Wat —5D 20
Raphael Dri. Wat —6E 11 (1D 26)
Rase Hill Clo. Rick —2H 17
Raven Clo. Rick —4H 17
Ravenscroft. Wat —1F 11
Rayleigh Houses. Ab L —4A 4
Raymond Clo. Ab L —4G 3
Rectory La. K Lan —1D 2
Rectory La. Rick —6A 18
Rectory Rd. Rick —6A 18
Redding Ho. Wat —4H 19
Reddings Av. Bush —3A 22
Reddings, The. Borwd —1C 24
Red Fern Ct. Wat —3A 20
Redfern Ct. Wat —3H 19
Redhall La. Chan X —5B 8
Redheath Clo. Wat —1A 10
Red Lion Clo. A'ham —3B 12
Red Lion Yd. Wat —2D 20 (4C 26)
Red Rd. Borwd —1C 24
Redwing Gro. Ab L —3B 4
Redwood Ri. Borwd —3D 14
Reedham Clo. Brick W —1H 5
Reeds Cres. Wat —6D 10 (1C 26)
Reeds Wlk. Wat —6D 10 (2D 26)
(in two parts)
Regal Way. Wat —4D 10
Regent Clo. K Lan —1D 2
Regents Clo. Rad —6F 7
Regent St. Wat —4C 10
Rendlesham Av. Rad —3E 13
Rendlesham Way. Chor —3B 16
Repton Way. Crox G —3D 18
Reston Clo. Borwd —4D 14
Reston Path. Borwd —4D 14
Retford Clo. Borwd —4D 14
Retreat, The. K Lan —3F 3
Reynards Way. Brick W —1G 5
Rhodes Way. Wat —6E 11
Richards Clo. Bush —5C 22
Richfield Rd. Bush —5B 22
Richmond Clo. Borwd —3G 25
Richmond Dri. Wat —6H 9
Richmond Way. Crox G —2F 19
Rickmansworth. —5B 18
Rickmansworth Rd. Chor —1E 17
Rickmansworth Rd. Wat —2H 19 (3A 26)
Ridgefield. Wat —3H 9
Ridgehurst Av. Wat —6A 4
Ridge La. Wat —3A 10
Ridge St. Wat —4C 10
Ridge Way. Rick —4G 17
Ridgeway, The. Rad —3E 13
Ridgeway, The. Wat —3H 9
Ripon Way. Borwd —3G 25
Rise, The. Els —3C 24
Risingholme Clo. Bush —5A 22
Riverside Clo. K Lan —1E 3
Riverside Dri. Rick —6A 18
Riverside Rd. Wat —4C 20
Roberts Rd. Wat —3D 20
Robeson Way. Borwd —5F 15
Robin Hood Dri. Bush —5G 11
Robin Pl. Wat —4C 4
Robinson Cres. Bus H —6B 22
Rochester Dri. Wat —1D 10
Rochester Way. Crox G —2E 19
Rockcliffe Av. K Lan —2D 2
Rockingham Ga. Bush —4B 22
Rodgers Clo. Els —4A 24
Roman Gdns. K Lan —2E 3
Roman Wlk. Rad —2E 13
Romeland. Els —4A 24
Ronald Ct. Brick W —1G 5
Rookery, The. —5C 20
Rooks Hill. Loud —1H 17
Rosary Gdns. Bush —5D 22
Roseberry Ct. Wat —5B 10
Rosebery Rd. Bush —5A 22
Rosebriar Wlk. Wat —2A 10
Rose Cotts. Brick —2A 6
Rosecroft Dri. Wat —2H 9
Rosedale Clo. Brick W —2F 5
Rose Gdns. Wat —3B 20
Rosehill Gdns. Ab L —4F 3
Rose Lawn. Bus H —6B 22
Rose Wlk., The. Rad —2G 13
Ross Cres. Wat —1B 10
Rossington Av. Borwd —4B 14
Rosslyn Rd. Wat —1C 20 (3A 26)
Rossway Dri. Bush —3B 22
Rother Clo. Wat —6D 4
Roughwood Clo. Wat —4H 9
Round Bush. —4C 12
Roundway, The. Wat —4A 20
Rounton Dri. Wat —4A 10
Rousebarn La. Chan X & Crox G —4C 8
(in two parts)
Rowan Clo. Brick W —3H 5
Rowley Clo. Wat —4F 21
Rowley Green. —2H 25
Rowley La. Barn —2H 25
Rowley La. Borwd —5G 15
Royce Gro. Leav —6A 4
Rudolph Rd. Bush —4H 21
Rufford Clo. Wat —3A 10
Rugby Way. Crox G —3E 19
Rushmead Clo. Edgw —6E 25
Rushmoor Ct. Wat —4F 19
Rushton Av. Wat —1B 10
Rusling Ct. Wat —1C 20 (2B 26)
Russell Ct. Brick W —2H 5
Russell Cres. Wat —1A 10
Russell La. Wat —2G 9
Russell Way. Wat —5C 20
Rutherford Clo. Borwd —6F 15
Rutherford Way. Bus H —6C 22
Rutland Pl. Bush —6C 22
Rutts, The. Bush —6C 22
Ryall Clo. Brick W —1F 5
Ryan Way. Wat —5D 10
Rydal Ct. Leav —4C 4
Ryder Clo. Bush —4A 22

Saddlers Clo. Borwd —3G 25
Saddlers Path. Borwd —3G 25
(off Farriers Way)
Saddlers Wlk. K Lan —1D 2
St Albans Rd. Wat —6C 10 (1A 26)
St Andrews Ct. Wat —5C 10
St Christophers Ct. Chor —1C 16
St Francis Clo. Wat —6C 20
St George's Rd. Wat —4C 10
St James Rd. Wat —3C 20 (6B 26)
St John's Rd. Wat —6C 10 (1A 26)
St Lawrence Clo. Ab L —2H 3
St Lawrence Way. Brick W —2G 5
St Leonard's Clo. Bush —2F 21
St Mary's Clo. Wat —4B 26
St Mary's Rd. Wat —2C 20 (5B 26)
St Mary's Vw. Wat —4C 26
St Matthews Clo. Wat —4E 21
St Michaels Dri. Wat —5C 4
St Michael's Pde. Wat —4C 10
St Neots Clo. Borwd —4D 14
St Nicholas Clo. Els —4A 24
St Pauls Ct. Chfd —5A 2
St Pauls Way. Wat —6D 10 (1D 26)
St Peters Clo. Bus H —6C 22
St Peters Clo. Mil E —5G 17
St Peters Way. Chor —1A 16
St Vincent's Cotts. Wat —4B 26
Salisbury Rd. Wat —4C 10
Salters Clo. Rick —6B 18
Salters Gdns. Wat —5B 10
Sandhurst Cen. Wat —5D 10
Sandown Rd. Wat —4D 10
Sandown Rd. Ind. Est. Wat —3D 10
Sandringham Rd. Wat —3D 10
Sandy La. Bush —1B 22
Saracens R.U.F.C. —3C 20
(Watford Football Ground)
Sarratt La. Chor & Loud —1A 17
Sarratt Rd. Chan X & Crox G —5A 8
Sawtry Way. Borwd —4D 14
Sawyers La. Els —5G 13
Saxon Ct. Borwd —5B 14
Saxton M. Wat —6B 10
Scammell Way. Wat —4A 20
Scholars, The. Wat —6C 26
School La. Brick W —6G 5
School La. Bush —5A 22
School Mead. Ab L —4H 3
Schopwick Pl. Els —4A 24
(off St Nicholas Clo.)
Schubert Rd. Els —4A 24
Scotscraig. Rad —1E 13
Scots Hill. Crox G & Rick —4C 18
Scots Hill Clo. Rick —4C 18
Scotsmill La. Rick —4B 18
Scottswood Clo. Bush —6F 11
Scottswood Rd. Bush —6F 11
Scrubbitts Pk. Rd. Rad —1F 13
Scrubbitts Sq. Rad —1F 13
Second Av. Wat —1E 11
Sellers Clo. Borwd —5F 15
Sequoia Clo. Bus H —6C 22
Severn Way. Wat —6D 4
Shackleton Way. Ab L —4B 4
(off Lysander Way)
Shadybush Clo. Bush —5B 22
Shady La. Wat —6C 10 (1B 26)
Shaftesbury Ct. Crox G —3F 19
Shaftesbury Rd. Wat —1D 20 (3D 26)
Shakespeare Ind. Est. Wat —4B 10
Shakespeare St. Wat —4C 10
Shaw Clo. Bus H —6D 22
Sheepcot Dri. Wat —6D 4
Sheepcot La. Wat —5B 4
(in two parts)
Shenley Hill. Rad —1G 13
Shenley La. Lon C & Naps —1H 7
Shenley Rd. Borwd —2D 24
Shenley Rd. Rad —6G 7
Shenwood Ct. Borwd —3D 14
Shepherd's La. Chor & Mil E —3C 16
Shepherd's Rd. Wat —1A 20
Shepherds Wlk. Bus H —6C 22
Shepherds Way. Rick —4G 17
Shepperton Clo. Borwd —5G 15
Sheppey's La. K Lan & Ab L —1F 3
(in two parts)
Sheraton Clo. Els —3C 24
Sheraton M. Wat —2H 19
Sherborne Cotts. Wat —6D 26
Sherborne Way. Crox G —2E 19
Sherbourne Ho. Wat —4G 19
Sheridan Rd. Wat —5E 21
Sheriff Way. Wat —5B 4
Sherland Ct. Rad —2F 13
(off Dell, The)
Sherwoods Rd. Wat —5F 21
Shetland Clo. Borwd —4G 25
Shire La. Chor —2A 16
Shire La. Chor & Ger X —4A 16
(in three parts)
Shiremeade. Borwd —3C 24
Shires, The. Wat —3C 4
Shirley Rd. Ab L —4A 4
Short La. Brick W —1F 5
Silk Mill Ct. Wat —4C 20
Silk Mill Rd. Wat —5C 20
Silverdale Rd. Bush —3F 21
Silver Dell. Wat —2A 10
Silver Hill. Well E —2F 15
Silver Trees. Brick W —2G 5
Simon Ct. Bush —4H 21
Sinderby Clo. Borwd —5C 14
Sir Henry Floyd Ct. Stan —6G 23
Siskin Clo. Borwd —2D 24
Siskin Clo. Bush —2F 21
Siskin Ho. Wat —4G 19
Sixth Av. Wat —1E 11
Skidmore Way. Rick —6B 18
Slade Ct. Rad —1F 13
Smith St. Wat —2D 20 (5C 26)
Smug Oak. —2A 6
Smug Oak Grn. Bus. Cen. Brick W —2A 6
Smug Oak La. Brick W & Col S —2A 6
Solar Ct. Wat —3A 20
Solesbridge Ct. Chor —1E 17
Solesbridge La. Chor & Sarr —1E 17
Solomon's Hill. Rick —5A 18
Somers Way. Bush —5B 22
Sonia Clo. Wat —5D 20
Sotheron Rd. Wat —1D 20 (1C 26)
Souldern St. Wat —3C 20 (6A 26)
S. Cottage Dri. Chor —2E 17
S. Cottage Gdns. Chor —2E 17
Southfield Av. Wat —4D 10
S. Park Av. Chor —2E 17
South Riding. Brick W —2G 5

A-Z Watford 31

South Rd.—Yule Clo.

South Rd. *Chor* —2B **16**
Southsea Av. *Wat* —2B **20**
Southwark Ho. *Borwd* —6D **14**
(off Stratfield Rd.)
South Way. *Ab L* —5G **3**
Southwold Rd. *Wat* —3D **10**
Sovereign Ct. *Wat* —2B **20**
Sparrows Herne. *Bush* —5A **22**
Sparrows Way. *Bush* —5B **22**
Spencer Wlk. *Rick* —2H **17**
Spinney, The. *Bush* —5B **10**
Spring Clo. *Borwd* —5D **14**
Spring Crofts. *Bush* —3H **21**
Springfield. *Bus H* —6C **22**
Springfield Clo. *Crox G* —3E **19**
Springfield Rd. *Wat* —5C **4**
Spring Gdns. *Wat* —1D **10**
Springwell Av. *Mil E* —6F **17**
Springwell Ct. *Mil E* —6F **17**
Springwell La. *Rick & Hare*
　　　　—6F **17**
Springwood Cres. *Edgw* —6E **25**
Spur Clo. *Ab L* —5G **3**
Square, The. *Wat* —3C **10**
Squirrels, The. *Bush* —4C **22**
Stag La. *Chor* —3B **16**
Stainer Rd. *Borwd* —5A **14**
Stamford Rd. *Wat* —2D **10**
Stanborough Av. *Borwd* —3D **14**
Stanborough Clo. *Borwd* —4D **14**
Stanborough Pk. *Wat* —1C **10**
Stanbury Av. *Wat* —3H **9**
Standfield. *Ab L* —3H **3**
Stangate Cres. *Borwd* —3G **25**
Stanley Gdns. *Borwd* —5B **14**
Stanley Rd. *Wat* —2D **20** (3D **26**)
Stanmore Rd. *Wat* —5C **10**
Stannington Path. *Borwd* —5D **14**
Stapleton Rd. *Borwd* —4D **14**
Starling Pl. *Wat* —4D **4**
Station App. *Chor* —1C **16**
Station App. *Wat* —1F **19**
Station Footpath. *K Lan* —2E **3**
(in two parts)
Station Rd. *Borwd* —2D **24**
Station Rd. *Brick W* —3H **5**
Station Rd. *K Lan* —1E **3**
Station Rd. *Rad* —1F **13**
Station Rd. *Rick* —5A **18**
Station Rd. *Wat* —6C **10** (1B **26**)
Steeplands. *Bush* —5A **22**
Stephenson Way. *Wat & Bush*
　　　　—2E **21**
Stevenage Cres. *Borwd* —5B **14**
Stevens Grn. *Bus H* —6B **22**
Stewart Clo. *Ab L* —4A **4**
Stilton Path. *Borwd* —4D **14**
Stirling Corner. (Junct.) —4G **25**
Stirling Corner. *Borwd & Barn*
　　　　—4G **25**
Stirling Ho. *Borwd* —2F **25**
Stirling Way. *Ab L* —4B **4**
Stirling Way. *Borwd* —4G **25**
Stockers Farm Rd. *Rick* —6H **17**
Stockport Rd. *Herons* —4B **16**
Stones All. *Wat* —2C **20** (4A **26**)
Strangeways. *Wat* —2H **9**
Stratfield Rd. *Borwd* —1D **24**
Stratford Ct. *Wat* —5C **10**
Stratford Rd. *Wat* —6B **10**
Stratford Way. *Brick W* —1G **5**
Stratford Way. *Wat* —6A **10**
Stretton Way. *Borwd* —4B **14**
Stripling Way. *Wat* —4B **20**
Stuart Ct. *Els* —4A **24**
Stud Grn. *Wat* —4B **4**
Studios, The. *Bush* —4H **21**
Studio Way. *Borwd* —6F **15**
Suffolk Clo. *Borwd* —3G **25**
Sullivan Way. *Els* —4H **23**
Summerfield Rd. *Wat* —1B **10**
Summer Gro. *Els* —4A **24**
Summer Hill. *Els* —3D **24**
Summerhouse La. *A'ham* —6B **12**
Summerhouse Way. *Ab L* —2A **4**
Summer Pl. *Wat* —4A **20**
Summerswood La. *Borwd*
　　　　—1H **15**
Sunderland Gro. *Leav* —6A **4**
Sussex Rd. *Wat* —3B **10**
Sutcliffe Clo. *Bush* —2B **22**
Sutton Path. *Borwd* —1D **24**

Sutton Rd. *Wat* —1D **20** (2C **26**)
(in two parts)
Swallow Clo. *Bush* —6A **22**
Swallow Clo. *Rick* —4H **17**
Swallow Oaks. *Ab L* —3A **4**
Swan Clo. *Rick* —5A **18**
Swillet, The. —3A 16
Swiss Av. *Wat* —2H **19**
Swiss Clo. *Wat* —1H **19**
Sycamore App. *Crox G* —3F **19**
Sycamore Clo. *Bush* —6F **11**
Sycamore Clo. *Wat* —1C **10**
Sycamore Rd. *Crox G* —3F **19**
Sycamores, The. *Rad* —6G **7**
Sydney Rd. *Wat* —3H **19**

Talbot Av. *Wat* —5F **21**
Talbot Rd. *Rick* —6B **18**
Tallis Way. *Borwd* —5A **14**
Tanners Hill. *Ab L* —3A **4**
Tanners Wood Clo. *Ab L* —4H **3**
Tanners Wood Ct. *Ab L* —4H **3**
Tanners Wood La. *Ab L* —4H **3**
Tate Gdns. *Bush* —5D **22**
Tauber Clo. *Els* —2C **24**
Tavistock Rd. *Wat* —5E **11**
Teal Ho. *Wat* —2F **11**
Telford Clo. *Wat* —1E **11**
Temple Clo. *Wat* —6A **10**
Templepan La. *Chan X* —3B **8**
Tempsford Av. *Borwd* —2G **25**
Tennison Av. *Borwd* —3E **25**
Terrace Gdns. *Wat* —6C **10**
Thellusson Way. *Rick* —5E **17**
Thelusson Ct. *Rad* —1F **13**
Theobald St. *Rad & Borwd*
　　　　—2G **13**
Third Av. *Wat* —1E **11**
Thirsk Rd. *Borwd* —3D **14**
Thirston Path. *Borwd* —6D **14**
Thompson Way. *Rick* —5F **17**
Thorn Av. *Bus H* —6B **22**
Thornbury Gdns. *Borwd* —2F **25**
Thorn Rd. *Borwd* —6F **15**
(off Elstree Way)
Thorpe Cres. *Wat* —5D **20**
Three Valleys Way. *Bush* —3E **21**
Thrift Farm La. *Borwd* —6F **15**
Throstle Pl. *Wat* —4D **4**
Thrums. *Wat* —3C **10**
Thrush Grn. *Rick* —4H **17**
Tibbles Clo. *Wat* —1F **11**
Tibbs Hill Rd. *Ab L* —2A **4**
Tilehouse Clo. *Borwd* —1C **24**
Timber Ridge. *Loud* —2A **18**
Tinwell M. *Borwd* —3G **25**
Tithe Meadow. *Wat* —5G **19**
Titian Av. *Bus H* —5D **22**
Tollgate Clo. *Chor* —1E **17**
Tolpits Clo. *Wat* —3A **20**
Tolpits La. *Wat* —6F **19**
Tolpits La. Cvn. Site. *Wat* —5H **19**
Tomkins Clo. *Borwd* —5B **14**
Tom's Hill. *Chan X* —2B **8**
Tom's La. *K Lan* —1E **3**
Tooveys Mill Clo. *K Lan* —1D **2**
Torworth Rd. *Borwd* —5C **14**
Tourist Info. Cen. —6E **15**
(Borehamwood)
Tourist Info. Cen. —5B **18**
(Rickmansworth)
Town Fld. *Rick* —4H **17**
Treacy Clo. *Bus H* —6B **22**
Trefusis Wlk. *Wat* —5H **9**
Trevellance Way. *Wat* —5E **5**
Trident Rd. *Wat* —6A **4**
Tring Ho. *Wat* —5H **19**
Trinity Hall Clo. *Wat*
　　　　—1D **20** (2D **26**)
Trout Ri. *Loud* —1G **17**
(in two parts)
Troutstream Way. *Loud* —1F **17**
Trowley Ri. *Ab L* —3H **3**
Trundlers Way. *Bush* —6D **22**
Tucker St. *Wat* —3D **20**
Tudor Av. *Wat* —4E **11**
Tudor Ct. *Borwd* —6B **14**
Tudor Ct. *Mil E* —5F **17**
Tudor Dri. *Wat* —4E **11**
Tudor Mnr. Gdns. *Wat* —4E **5**
Tudor Pde. *Rick* —4F **17**

Tudor Wlk. *Wat* —3E **11**
Tudor Way. *Mil E & Rick* —5F **17**
Tunnel Wood Clo. *Wat* —3A **10**
Tunnel Wood Rd. *Wat* —3A **10**
Turnberry Dri. *Brick W* —2F **5**
Turner Rd. *Bush* —2B **22**
Turneys Orchard. *Chor* —2C **16**
Turnstones, The. *Wat* —2F **11**
Tuxford Clo. *Borwd* —4B **14**
Tykeswater La. *Els* —6H **13**
Tylers Clo. *K Lan* —1B **2**
Tylersfield. *Ab L* —3A **4**
Tylers Way. *Wat* —1B **22**

University Clo. *Bush* —2H **21**
Uplands. *Crox G* —4C **18**
Uplands, The. *Brick W* —2F **5**
Up. Highway. *Ab L* —5G **3**
Up. Highway. *K Lan* —4F **3**
Up. Hill Ri. *Rick* —3G **17**
Upper Hitch. *Wat* —6F **21**
Up. Paddock Rd. *Wat* —4F **21**
Up. Station Rd. *Borwd* —1F **13**
Upton Lodge Clo. *Bush* —5B **22**
Upton Rd. *Wat* —1C **20** (4A **26**)
Uxbridge Rd. *Mil E & Rick* —6E **17**

Vale Av. *Borwd* —3E **25**
Vale Ind. Est. *Wat* —5E **19**
Vale Rd. *Bush* —3F **21**
Valley Pk. *Wat* —5F **19**
Valley Ri. *Wat* —5C **4**
Valley Rd. *Rick* —2F **17**
Valley Wlk. *Crox G* —3F **19**
Vega Rd. *Bush* —5B **22**
Ventura Pk. *Col S* —1E **7**
Vera Ct. *Wat* —5E **21**
Verdure Clo. *Wat* —4F **5**
Vernon Rd. *Bush* —3F **21**
Verulam Pas. *Wat* —6C **10** (1B **26**)
Vicarage La. *K Lan* —1C **2**
Vicarage Rd. *Wat* —4B **20** (6A **26**)
Vicarage Rd. Precinct. *Wat*
　　　　—5B **26**
Victoria Clo. *Rick* —5A **18**
Victoria Ct. *Wat* —1D **20** (3D **26**)
Victoria Pas. *Wat* —2C **20** (5A **26**)
Victoria Rd. *Bush* —6A **22**
Victoria Rd. *Wat* —4C **10**
Victor Smith Ct. *Brick W* —3H **5**
Villiers Rd. *Wat* —4F **21**
Violet Way. *Loud* —1H **17**
Vivian Clo. *Wat* —6B **20**
Vivian Gdns. *Wat* —6B **20**

Wadham Rd. *Ab L* —3A **4**
Wagon Way. *Loud* —1H **17**
Walnut Grn. *Bush* —6G **11**
Walshford Way. *Borwd* —4D **14**
Walton Rd. *Bush* —2E **21**
Walverns Clo. *Wat* —2D **20**
Wansford Pk. *Borwd* —2G **25**
Wards La. *Els* —6E **13**
Warenford Way. *Borwd* —5D **14**
Warneford Pl. *Wat* —4F **21**
Warren Ct. *Wat* —4C **4**
Warren Gro. *Borwd* —2G **25**
Warren Rd. *Bus H* —6B **22**
Warrens Shawe La. *Edgw* —6E **25**
Warren, The. *K Lan* —1C **2**
Warren, The. *Rad* —5F **7**
Warwick Clo. *Bus H* —5D **22**
Warwick Pl. *Borwd* —1G **25**
Warwick Rd. *Borwd* —1G **25**
Warwick Way. *Crox G* —2F **19**
Waterdale. —2E 5
Waterdale. (Junct.) —2E **5**
Waterdale. *Brick W* —2E **5**
Water Dri. *Rick* —6B **18**
Waterfield. *Chor* —4B **16**
Waterfields Way. *Wat* —2E **21**
Waterfront, The. *Els* —4G **23**
Watergate, The. *Wat* —6E **21**
Water La. *K Lan* —1E **3**
Water La. *Wat* —2D **20** (5D **26**)
Waterman Clo. *Wat* —4C **20**
Waterside. *K Lan* —1D **2**
Waterside. *Rad* —6G **7**
Waterside Clo. *K Lan* —1E **3**

Watford. —2C 20 (5D 26)
Watford Arches Retail Pk. *Wat*
　　　　—3E **21**
Watford By-Pass. *Stan & Edgw*
　　　　—5G **23**
Watford Enterprise Cen. *Wat*
　　　　—4H **19**
Watford F.C. —3C 20 (6A 26)
(Vicarage Rd. Stadium)
Watford Fld. Rd. *Wat* —3D **20**
Watford Heath. —6E 21
Watford Heath. *Wat* —5E **21**
Watford Heath Farm. *Wat* —5F **21**
Watford Mus. —2D 20 (5D 26)
Watford Rd. *Crox G & Rick*
　　　　—4D **18**
Watford Rd. *Els* —4G **23**
Watford Rd. *K Lan* —2D **2**
Watford Rd. *Rad* —2D **12**
Watling Ct. *Els* —4A **24**
Watling Farm Clo. *Stan* —6H **23**
Watling Knoll. *Rad* —5E **7**
Watling St. *Els* —6H **13**
Watling St. *Rad & Els* —3E **7**
Wayside Av. *Bush* —4C **22**
Wayside Ct. *Brick W* —2G **5**
Weall Grn. *Wat* —4C **4**
Webber Clo. *Els* —4A **24**
Welbeck Clo. *Borwd* —1D **24**
Well End. —4G 15
Well End Rd. *Borwd* —3F **15**
Wellington Ho. *Wat* —6D **10**
(off Exeter Clo.)
Wellington Rd. *Wat*
　　　　—6C **10** (1B **26**)
Wellstones. *Wat* —2C **20** (4B **26**)
Wells Yd. *Wat* —1C **20** (3B **26**)
Wendover Ho. *Wat* —5H **19**
(off Chenies Way)
Wendover Way. *Bush* —4B **22**
Wensum Way. *Rick* —6A **18**
Wenta Bus. Cen. *Wat* —3E **11**
Wentbridge Path. *Borwd* —4D **14**
Wentworth Av. *Els* —3C **24**
Wentworth Clo. *Wat* —4A **10**
Westbury Rd. *Wat*
　　　　—3C **20** (6B **26**)
West Dri. *Wat* —2C **10**
Westfield Av. *Wat* —4E **11**
West Hertfordshire Crematorium.
　　　　Wat —3E **5**
Westland Clo. *Leav* —6A **4**
Westland Rd. *Wat* —6C **10** (1B **26**)
Westlea Av. *Wat* —3F **11**
Westminster Ho. *Wat* —6D **10**
(off Hallam Clo.)
West Riding. *Brick W* —2G **5**
West St. *Wat* —1C **10** (1A **26**)
W. View Ct. *Els* —4A **24**
W. View Gdns. *Els* —4A **24**
West Watford. —2B 20
West Way. *Rick* —5G **17**
Westwick Pl. *Wat* —6D **4**
Wetherby Rd. *Borwd* —5B **14**
Wharf La. *Rick* —6B **18**
Wheelwright Clo. *Bush* —4A **22**
Whippendell Hill. *Ab L* —2A **2**
Whippendell Rd. *Wat*
　　　　—3H **19** (4A **26**)
Whitegates Clo. *Crox G* —2F **19**
Whitehouse Av. *Borwd* —1E **25**
Whitelands Av. *Chor* —1A **16**
White Shack La. *Chan X* —3C **8**
Whitfield Way. *Mil E* —5E **17**
Whitley Clo. *Ab L* —4B **4**
Whitwell Rd. *Wat* —1E **11**
Widgeon Way. *Wat* —3F **11**
Wiggenhall Rd. *Wat*
　　　　—3C **20** (6B **26**)
Wiggenhall Rd. Goods Yd. *Wat*
　　　　—4C **20**
Wilcon Way. *Wat* —6E **5**
Wilcot Av. *Wat* —5F **21**
Wilcot Clo. *Wat* —5F **21**
Wilcox Clo. *Borwd* —5F **15**
Wildwood Av. *Brick W* —2G **5**
Wildwood Ct. *Chor* —1E **17**
Williamson Way. *Rick* —5F **17**
William St. *Bush* —1E **21**
Williams Way. *Rad* —1G **13**
Willow Dene. *Bus H* —5D **22**
Willow Edge. *K Lan* —1E **3**

Willow Grn. *Borwd* —3G **25**
Willow La. *Wat* —3B **20**
Willows, The. *Borwd* —5D **14**
Willows, The. *Rick* —6F **17**
Willows, The. *Wat* —5C **20**
Willow Way. *Rad* —2D **12**
Wilton Ct. *Wat* —2C **26**
Wimborne Gro. *Wat* —3H **9**
Winchester Way. *Crox G* —3E **19**
Winchfield Way. *Rick* —4H **17**
Windermere Clo. *Chor* —2C **16**
Windermere Ct. *Wat*
　　　　—6B **10** (1A **26**)
Windmill Dri. *Crox G* —4E **18**
Windmill La. *Bus H* —6D **22**
Windmill St. *Bus H* —6D **22**
Windsor Clo. *Borwd* —5D **14**
Windsor Ct. *K Lan* —1D **2**
Windsor Rd. *Wat* —4D **10**
Windsor Way. *Rick* —1F **17**
Winfields Mobile Home Pk. *Wat*
　　　　—5A **12**
Wingfield Ct. *Wat* —4F **19**
Winstre Rd. *Borwd* —5D **14**
Winton App. *Crox G* —3E **19**
Winton Cres. *Crox G* —3E **19**
Winton Dri. *Crox G* —2E **19**
Woburn Clo. *Bush* —4A **22**
Wolsey Bus. Pk. *Wat* —5G **19**
Wolsey Ho. *K Lan* —1D **2**
Woodcock Hill. *Borwd* —4E **25**
Woodfield Ri. *Bush* —5C **22**
Woodfield Rd. *Rad* —2F **13**
Woodfields. *Wat* —5C **22**
Woodford Rd. *Wat*
　　　　—6D **10** (1C **26**)
Woodgate. *Wat* —5C **4**
Woodhall La. *Shenl* —1B **14**
Woodhurst Av. *Wat* —6E **5**
Woodland Dri. *Wat* —5A **10**
Woodland La. *Chor* —1C **16**
Woodland Pl. *Chor* —1E **17**
Woodlands. *Rad* —6F **7**
Woodlands Clo. *Borwd* —2E **25**
Woodlands Rd. *Bush* —3F **21**
Wood La. *Stan* —6H **23**
Woodmans Yd. *Wat*
　　　　—2E **21** (5D **26**)
Woodmere Av. *Wat* —4E **11**
Woodpecker Clo. *Bush* —6B **22**
Woodshots Mdw. *Wat* —3G **19**
Woodside. —4C 4
Woodside. *Wat* —2B **10**
Woodside. *Wat* —2B **10**
Woodside Leisure Pk. *Wat* —5C **4**
Woodside Rd. *Ab L & Wat* —3B **4**
Woodside Rd. *Brick W* —2G **5**
Woods, The. *Rad* —6G **7**
Woodstock Rd. *Wat* —5D **22**
Woodville Ct. *Wat* —6B **10**
Woodwaye. *Wat* —5D **20**
Woolmer Clo. *Borwd* —4D **14**
Woolmerdine Ct. *Bush* —1E **21**
Worcester Ho. *Borwd* —5C **14**
(off Stratfield Rd.)
Wren Cres. *Bush* —6B **22**
Wright's Bldgs. *Wat* —6C **10**
(off Langley Rd.)
Wyatt Clo. *Bush* —5C **22**
Wyatt's Clo. *Chor* —1F **17**
Wyatt's Rd. *Chor* —1E **17**
Wych Elms. *Park* —1A **6**
Wycliffe Ct. *Ab L* —4H **3**

Yarmouth Rd. *Wat* —4D **10**
Yeatman Ho. *Wat* —2B **10**
Ye Corner. *Wat* —4E **21**
Yewstone Ct. *Wat* —1B **20** (3A **26**)
Yew Tree Ct. *Els* —4A **24**
York Clo. *K Lan* —1D **2**
York Cres. *Borwd* —6G **15**
Yorke Rd. *Crox G* —4B **18**
York Ho. *Borwd* —6D **14**
(off Canterbury Rd.)
York Rd. *Wat* —3D **20** (6D **26**)
York Way. *Borwd* —6G **15**
York Way. *Wat* —2E **11**
Yule Clo. *Brick W* —2G **5**